北大版新一代对外汉语教材·报刊教程系列

报刊语言基础教程(上)

肖 立 编著

北京大学出版社
PEKING UNIVERSITY PRESS

图书在版编目(CIP)数据

报刊语言基础教程.上/肖立编著.—北京：北京大学出版社,2005.6
(北大版新一代对外汉语教材·报刊教程系列)
ISBN 7-301-07997-4

Ⅰ.报… Ⅱ.肖… Ⅲ.汉语-阅读教学-对外汉语教学-教材 Ⅳ.H195.4

中国版本图书馆 CIP 数据核字(2005)第 031221 号

书　　　名：报刊语言基础教程(上)
著作责任者：肖　立　编著
责 任 编 辑：张弘泓
标 准 书 号：ISBN 7-301-07997-4/H·1245
出 版 发 行：北京大学出版社
地　　　址：北京市海淀区成府路 205 号　100871
网　　　址：http://cbs.pku.edu.cn　电子信箱：zpup@pup.pku.edu.cn
电　　　话：邮购部 62752015　发行部 62750672　编辑部 62753334
排 版 者：文辉伟业打字服务社　82715400
印 刷 者：涿州市星河印刷有限公司
经 销 者：新华书店
　　　　　　787 毫米×1092 毫米　16 开本　12.25 印张　200 千字
　　　　　　2005 年 6 月第 1 版　2006 年 7 月第 2 次印刷
定　　　价：35.00 元

前　言

　　本教材适用于对外汉语教学初中级阶段。主要用于培养留学生的报刊阅读能力。

　　教材共30课,每课包括课文、阅读和练习三个部分,其中课文和阅读部分配有生词表,包括英文翻译。为适应自学需要,全书最后附有生词索引和全部练习的答案。

　　课文和阅读均选自近期公开出版和翻译的国内外报刊、影视、网络资料。在选取材料时,没有过分拘泥于国内知名报刊,而是力求体现当今中国的变化和活力,并且充分考虑了历年教学中所感受到的留学生的阅读兴趣。因教学需要,大部分课文和阅读课文都经过了删改。对于可能影响阅读效果的关键环节和数字,已经尽力核实订正。

　　本教材难度控制的主要依据是《高等学校外国留学生汉语言专业教学大纲》(北京语言文化大学出版社2002年)的二年级生词表和语法项目部分,并吸收了近年来新出现的词汇及其用法。主课文的篇幅,从最初的800字左右,逐渐向1000字左右过渡,循序渐进,最后达到1500字左右。以上难度控制和篇幅安排,适用于对外汉语本科生二年级一年的学习时间或学力相当者自学的需要。

　　依照经验,我们建议的使用方法是,每周四个学时,学习一课。前两个学时处理课文和相关的练习,在细读课文的基础上,精讲多练,使学生充分理解中国新闻语言的特点,掌握课文中出现的生词(特别是复现生词)和语法重点。为达此目的,编者在每一课课文后,都设计了大量直接针对课文的练习。后两个学时根据学生水平的不同,可以选取三篇阅读中的部分或全部深入训练,主要目标是提高阅读速度,锻炼一种或几种阅读技巧。为此目的,几乎所有的阅读一和阅读二都安排了选择和判断题,以检验学生的阅读效果。

　　本教材充分吸收了近年来阅读理论中的新观点和看法,充分尊重阅读中可能出现的理解分歧,并为此设计了"划线连接相关词语"这样的答案比较灵活的开放性练习。教师宜引导和鼓励学生发现文章中词语和词语的内在关系,并由此了解新闻语言的特点和文章的内在逻辑。编者希望这样的开放性练习有助于提高学生的阅读兴趣和逻辑思维能力。

本教材的编写得到北京语言大学特别是汉语学院的大力支持，教材中吸收了白崇乾、王世巽、彭瑞情及刘谦功的经验、智慧。史艳岚承担了生词注音和按音序编排的工作，Steven Daniels 审阅了全部生词的英文翻译。

北京大学出版社郭力、沈浦娜和张弘泓老师为教材的出版耗费了大量时间和心血。

我还希望以这本教材的出版告慰已经故去的朋友徐善强。

我个人对教材中出现的一切不当和错误承担全部责任。

肖立

2005 年 3 月 15 日

于北京语言大学

作者简介

肖立，男，1966 年生于西安。文学博士。1996 年至今，任教于北京语言大学汉语学院，主要承担《中国国情》和《报刊语言基础》的教学工作。著有《世纪老人的话——钟敬文评传》，《中国国情》等。

目　录

第1课
韩国学生积极参加汉语水平考试

国际在线报道(记者 全宇虹) 16日,韩国的首尔、大田、大邱三个城市同时举行2003年度第三次汉语水平考试。至此,今年参加该项考试的韩国人已达到19000余人,已是连续第三年位居全世界第一名。

"汉语水平考试",简称HSK,是中国为测试母语非汉语人士的汉语水平而设立的国家级标准化考试,其成绩既可以作为进入中国学校接受教育时的汉语水平证明,也可以作为在国际上申请职位时的证明,与美国的托福考试非常相似。汉语水平考试在1990第一次举行时,仅在中国境内设有考点,参加人数不过2000人。到今年上半年,其考点已经遍布于中国境外的33个国家和地区,有来自120多个国家和地区的近30万人次参加了考试。

中韩两国于1992年建交后,韩国一些热衷于汉语教学的大学教授主动来到中国,要求在韩国举行汉语水平考试。不过,在1993年第一次举行考试的时候,韩国全国仅有487人参加。目前,随着中韩两国在各个领域交流的不断发展,中国热在韩国逐年升温,到2001年,参加汉语水平考试的韩国人已达7260人,比1993年增加了10多倍,占当年汉语水平考试海外考生的61%。

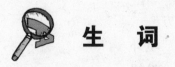 生　词

1. 年度	niándù	(名)	year
2. 该	gāi	(代)	this

3. 连续	liánxù	（副）	continuous
4. 测试	cèshì	（动、名）	test
5. 母语	mǔyǔ	（名）	mother tongue
6. 申请	shēnqǐng	（动、名）	apply
7. 遍布	biànbù	（动）	be found everywhere, spread all over
8. 建交	jiànjiāo	（动）	establish diplomatic relations
9. 热衷	rèzhōng	（动）	be keen on; be fond of (doing sth.)
10. 仅	jǐn	（副）	just, merely, only
11. 领域	lǐngyù	（名）	domain, field
12. 交流	jiāoliú	（动、名）	communion, intercommunion, intercourse
13. 逐年	zhúnián	（副）	year after year
14. 升温	shēng wēn		calefactive, rise in temperature, heat up
15. 倍	bèi	（名量）	times

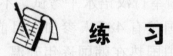 练 习

一、根据课文划线连接具有相同特点的词语

例如： 黑色———白色

苹果———香蕉

南方———北方

学生　　　　　　　境外

托福考试　　　　　教授

境内　　　　　　　升温

发展　　　　　　　汉语水平考试

二、划线搭配动词和名词（宾语）

例如：　举行———考试

　　　　设有———考点

参加	职位
测试	中国
申请	考试
来到	水平

三、连句

例如：A) 汉语水平考试

　　　B) 仅在中国境内设有考点

　　　C) 在1990第一次举行时

正确的顺序是（　　　　）

1. A) 同时举行

　 B) 2003年度第三次汉语水平考试

　 C) 韩国的首尔、大田、大邱三个城市

正确的顺序是（　　　　）

2. A) HSK是中国为测试母语非汉语人士的汉语水平而设立的国家级标准化考试

　 B) 也可以作为在国际上申请职位时的证明

　 C) 其成绩既可以作为进入中国学校接受教育时的汉语水平证明

正确的顺序是（　　　　）

3. A) 主动来到中国

　 B) 韩国一些热衷于汉语教学的大学教授

　 C) 要求在韩国举行汉语水平考试

正确的顺序是（　　　　）

四、判断正误

1. 有19000名韩国人参加了16日在三个城市举行的汉语水平考试。（　　　）

2. 最近三年中，韩国一直是世界上参加汉语水平考试人数最多的国家。（　　　）

3. 作为一种国际性考试，汉语水平考试一开始就在中国和外国同时设立了考点。（　　　）

4. 汉语水平考试在韩国刚开始举行的时候,并没有受到今天这样的欢迎。
（　　）

3月26日，由全法汉语教师协会和法国教育部联合举办的全法汉语教学研讨会在巴黎举行，130余人参加了为期两天的研讨会，这一研讨会还吸引了一些汉语学习者前来观摩。

马来西亚汉语热

新华网吉隆坡7月18日电(记者　**邱孝益**)马来西亚柔佛州领导人阿都干尼18日在该州举行的会议上说,随着中国的国际地位日益提高,汉语在国际交流中变得越来越重要,马来人应加强汉语学习。

阿都干尼指出,崛起的中国不但在本地区,而且在国际舞台上也扮演着重要的角色。马中两国在经贸等方面双边关系发展迅速,马来西亚各地正兴起学习汉语的热潮。因此,马来人无论从政或经商,掌握汉语无疑将占据优势,多方受益。

马来西亚是个多种族的国家,其中华人500多万,约占全国人口的25%。马来西亚第一所华文学校五福书院于1819年在北部的槟城成立,该国目前共有华文小学1280多所,在校学生约63万人;华文中学60所,在校学生约6万人;华文大专学院3所,学生约5000人,以及一所刚刚成立的以华文教育为主的拉曼大学。

生　词

1. 崛起	juéqǐ	(动)	grow, rise
2. 扮演	bànyǎn	(动)	act, play
3. 角色	juésè	(名)	part, role
4. 受益	shòu yì		benefit from
5. 大专	dàzhuān	(名)	four-year and three-year college

专有名词

1. 马来西亚	Mǎláixīyà	Malaysia
2. 吉隆坡	Jílóngpō	Kuala Lumpur
3. 华文	Huáwén	Chinese language

选择正确答案

1. 课文第一、第二段介绍的是谁的看法？

    1）马来西亚人的

    2）中国人的

    3）全世界的

    4）课文中没有说明　　　　　　　　　　　　　（　　）

2. 阿都干尼对中国的看法是：

    1）中国是本地区的重要国家

    2）在世界范围内,中国也是一个重要国家

    3）中国的地位和作用还不能确定

    4）只包括 1)和 2)　　　　　　　　　　　　　（　　）

3. 阿都干尼对学习汉语的看法是：
    1）对参加政治活动有帮助
    2）对参加经济活动有帮助
    3）对参加政治活动和经济活动都有帮助
    4）对参加经济活动帮助更大   （   ）

4. 以下关于马来西亚华人的介绍哪一项是正确的？
    1）华人是人数最多的种族
    2）华人占全国人口的四分之一
    3）华人是在1819年来到马来西亚的
    4）华人建立的第一所华文学校是拉曼大学   （   ）

阅读（二）

用汉语欢迎中国宇航员

据**俄塔社**21日报道，美国宇航员迈克尔·福尔和俄罗斯宇航员亚历山大·卡列里准备用汉语在太空欢迎中国同行。

这两名宇航员将于10月18日飞往国际空间站。而中国载人飞船第一次飞行也定在10月份。福尔说，他"正通过在英国购买的课本和磁带自学汉语"。他认为，汉语没有俄语那么难学。他将在国际空间站继续学习汉语，因此将带着自学课本飞往太空。

卡列里也想学几句汉语。他说，"能用汉语在太空欢迎中国同行简直太好了"。

俄罗斯官员对记者说，中国没有同俄罗斯协商其载人飞船与国际空间站进行联系的问题。"但可以从技术上解决通话的问题"。

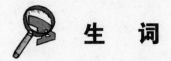

生　词

1. 宇航员	yǔhángyuán	(名)	astronaut
2. 太空	tàikōng	(名)	outer space
3. 同行	tóngháng	(名)	the same trade，someone of the same profession
4. 空间站	kōngjiānzhàn	(名)	space station
5. 载人飞船	zàirén fēichuán		manned spaceship
6. 磁带	cídài	(名)	cassette tape
7. 协商	xiéshāng	(动)	negotiate，consult

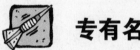

专有名词

俄塔社	Étǎshè	Tass

判断正误

1. 美国和俄罗斯宇航员准备用汉语欢迎中国宇航员。（　　）

2. 从课文来看,美国和俄国的两名宇航员现在已经在国际空间站里面了。（　　）

3. 俄罗斯宇航员在英国购买了汉语课本和磁带,准备在空间站自学汉语。（　　）

4. 由于太空通话的技术问题无法解决,中国还没有考虑让自己的载人飞船与国际空间站联系。（　　）

阅读(三)

中国汉语水平考试首次在塞尔维亚举办

人民网贝尔格莱德9月27日电(记者 **刘志海**)中国汉语水平考试今天上午在贝尔格莱德大学语言学院中文系举行。13名考生参加了基础班考试,15名考生参加了初中班考试。考试由中国教育部和中国国家对外汉语教学领导小组办公室组织实施。

塞尔维亚的汉语教学已有十几年历史。这次汉语水平考试是在塞尔维亚、乃至在整个前南斯拉夫地区首次举办的汉语水平考试。它不仅将促进塞尔维亚的汉语教学工作,也必将推动和加强中国和塞尔维亚共和国的文化交流与合作。(2003-9-28 12:37:00)

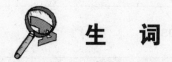

生　词

| 1. 基础 | jīchǔ | (名) | base |
| 2. 促进 | cùjìn | (动) | promote |

专有名词

1. 中国国家对外汉语教学领导小组办公室
Zhōngguó Guójiā Duìwài Hànyǔ Jiàoxué Lǐngdǎo Xiǎozǔ Bàngōngshì
China national office for teaching Chinese as a foreign language
2. 贝尔格莱德　　　　Bèi'ěrgéláidé　　　　Belgrade
3. 塞尔维亚　　　　　Sài'ěrwéiyà　　　　　Serbia
4. 前南斯拉夫　　　　Qiánnánsīlāfū　　　　former Yugoslavia

简要回答：

1. 这次汉语水平考试是在什么地方举行的？
2. 我们是不是可以说这次考试说明了塞尔维亚汉语教学的开始？

第2课

温总理是首访新欧盟贵宾
中欧合作将进一步加强

外国媒体密切关注温家宝总理对欧洲五国及欧盟总部的访问,认为温总理是访问新欧盟的首位贵客,这次访问将进一步加强中国与欧盟之间的良好关系。

埃菲社的报道说,中国总理温家宝从2日升始对欧盟进行为期10天的访问,成为首位访问"25国新欧盟"的外国领导人。陪同温家宝访问的有商务部部长薄熙来和一个人数众多的企业家代表团。加强中国与欧盟之间的贸易往来是这次访问讨论的主要议题。欧盟驻中国代表团代表弗朗茨·雅森说:"我们希望温家宝的访问能进一步加强欧盟与中国之间的良好关系。""随着欧盟东扩的完成,欧盟有望成为中国最大的贸易伙伴。今年第一季度欧盟与中国的双边贸易额已经达到374亿美元,比去年同期增长了39.4%。"从去年秋季开始,中国与欧盟的关系迅速发展。特别是在高技术和航天领域,双方的合作关系日益密切。

法新社的报道说,中国总理温家宝和德国总理施罗德发表一份联合声明,从而使两国之间已经十分牢固的贸易和政治关系更上一层楼。施罗德说,"德中两国贸易额目前约为500亿欧元。我们制定了在2010年使这个数字翻一番的目标"。

温家宝总理5日访问了布鲁塞尔,以推动中国与欧盟迅速发展的贸易关系。可以说,新近扩大了的欧盟与中国"越来越关注彼此作为战略伙伴的合作关系"。(http://www.sina.com.cn 2004年05月08日10:38 新华网)

生 词

1.	媒体	méitǐ	(名)	media
2.	关注	guānzhù	(动)	attention
3.	总部	zǒngbù	(名)	headquarters
4.	陪同	péitóng	(动)	accompany
5.	众多	zhòngduō	(形)	many , numerous
6.	有望	yǒuwàng	(动)	hopeful
7.	高技术	gāojìshù		high tech
8.	航天	hángtiān	(名)	space-flight
9.	声明	shēngmíng	(名)	statement
10.	从而	cóng'ér	(连)	accordingly , consequently , sequentially , thereby
11.	牢固	láogù	(形)	firm
12.	翻一番	fān yì fān		double
13.	彼此	bǐcǐ	(名)	each other
14.	战略	zhànlüè	(名)	stratagem

专有名词

1.	欧盟	Ōuméng	European Union
2.	埃菲社	Āifēishè	EFI
3.	商务部	Shāngwùbù	Ministry of commerce of China
4.	施罗德	Shīluódé	Gerhard Schröder , The German chancellor
5.	布鲁塞尔	Bùlǔsài'ěr	Brussels

练　习

一、根据课文划线连接具有相同特点的词语

温家宝　　　　　　　　航天

中国　　　　　　　　　39.4%

密切　　　　　　　　　牢固

374亿美元　　　　　　欧盟

高技术　　　　　　　　施罗德

二、划线搭配动词和名词（宾语）

访问　　　　　　　　　目标

加强　　　　　　　　　伙伴

成为　　　　　　　　　关系

制定　　　　　　　　　欧盟

三、指出划线动词的宾语中心词

例如：成为首位访问"25国新欧盟"的外国领导人

　　　划线动词"成为"的宾语中心词是"领导人"

1. 外国媒体密切关注温家宝总理对欧洲五国及欧盟总部的访问。（　　）

2. 这次访问将进一步加强中国与欧盟之间的良好关系。（　　）

3. 加强中国与欧盟之间的贸易往来是这次访问的主要议题。（　　）

4. 中国总理温家宝和德国总理施罗德发表了一份联合声明。（　　）

四、判断正误

1. 温总理访问的时候，欧盟扩大的工作刚刚完成。（　　）

2. 温总理将用10天时间访问所有欧盟国家和欧盟总部。（　　）

3. 从陪同温总理访问的人员来看，这次访问的重点是加强中国和欧盟之间的政治关系。（　　）

4. 今年1月，中国和欧盟之间的贸易额比去年同期增长了39.4%。（　　）

5. 德国总理说，中国和德国将努力使双方的贸易额在2010年达到1000亿欧元。（　　）

英女王会见中国国务院总理温家宝

5月10日晚,正在英国访问的中国国务院总理温家宝出席英中贸易协会为他举行的欢迎晚宴并发表讲话,并就进一步加强中英合作提出六点建议。当天,温家宝还参观了英国牛津大学图书馆,并与部分学生进行座谈。11日,温家宝在白金汉宫同英国女王伊丽莎白二世举行了会谈。

中英发表联合声明
共同致力于全面战略伙伴关系

中新社伦敦五月十日电(记者 **朱大强**) 中英联合声明今天在此间发表,两国共同致力于发展全面战略伙伴关系。这是对两国关系具有重要意义的文件。

联合声明说,温家宝总理和布莱尔首相今天对中英建立全面战略伙伴关系表示欢迎。双方承诺共同致力于发展这一伙伴关系,使其造福于两国,并推动建立一个更加安全、繁荣和开放的世界。

中英在双边、多边和全球问题上开展合作符合双方利益,双方均把两国关系视为各自对外关系的重点之一。

联合声明说,中国经济的持续增长和发展,及其日益上升的全球经济大国地位,使中英伙伴关系近年来取得了长足发展。双方在环境、教育、发展、科技等众多领域的关系蓬勃发展。(http://www.sina.com.cn 2004年05月10日21:48 中国新闻网)

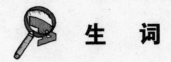 生　词

1. 致力于	zhìlì yú		apply oneself to，devote oneself to
2. 首相	shǒuxiàng	（名）	prime minister
3. 承诺	chéngnuò	（动）	promises
4. 造福	zàofú	（动）	benefit
5. 长足	chángzú	（形）	quiet great (progress)，considerable，rapid
6. 蓬勃	péngbó	（形）	flourish，vigorous

选择正确答案

1. 从课文来看,中英联合声明是在哪里发表的?

　　1）中国

　　2）英国

　　3）在中国和英国同时发表

　　4）课文中没有说明　　　　　　　　　　　　　　　　　（　　）

2. 联合声明说,中国和英国将在哪些方面加强合作?

　　1）各个方面

　　2）政治方面

　　3）经济方面

　　4）文化方面　　　　　　　　　　　　　　　　　　　　（　　）

3. 中英合作的范围将是哪些问题?

　　1）中英双方的问题

　　2）中英双方和其他国家共同的问题

　　3）全球性问题

　　4）包括以上三个方面　　　　　　　　　　　　　　　　（　　）

4. 联合声明认为近年来的中英伙伴关系发展情况怎么样?

1) 平稳地向前发展
2) 和以前一样
3) 进步很快
4) 将来会更好   （   ）

英国女王会见温家宝
希望中英扩大交流与合作

中国日报网站消息：据外交部网站报道，2004年5月11日，英国女王会见了正在伦敦进行正式访问的中国国务院总理温家宝，双方进行了亲切友好的交谈。

温家宝转达了胡锦涛主席对女王的问候。

温家宝说，我此次访英期间，双方发表了联合声明，决定建立中英全面战略伙伴关系。当前两国关系中不存在悬而未决的问题，只有共同利益和坚实的合作基础。双方应做出共同努力，进一步拓宽在教育、科技、文化等领域的合作。

女王请温家宝转达她对胡锦涛主席的良好祝愿。她说，两国关系发展很好，不仅经贸合作密切，人员往来也十分频繁。现已有大批优秀的中国青年在英国学习，这对于推动双边关系十分有益。希望双方扩大在各领域的交流与合作。（信莲）(http://www.sina.com.cn 2004年05月12日 19:10 中国日报网站)

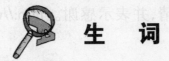

生　词

1. 悬而未决	xuán ér wèi jué		be in the scale, hang in doubt
2. 坚实	jiānshí	(形)	firm, strong
3. 拓宽	tuòkuān	(动)	develop, open up, broaden
4. 转达	zhuǎndá	(动)	communicate, convey
5. 频繁	pínfán	(形)	frequent, often

判断正误

1. 这次会见是在英国进行的。（　　　）

2. 中国国家主席胡锦涛参加了这次会见。（　　　）

3. 温家宝在谈话中说,双方应该进一步加强在经济领域的合作。（　　　）

4. 英国女王认为,大批英国留学生在中国学习,对于推动双边关系十分有益。（　　　）

温家宝与德国总理在会谈之前并肩相携

5月3日两国总理在柏林举行会谈之前并肩相携

应德国总理施罗德的邀请,中国总理温家宝于5月2日至5日对德国进行正式访问。双方举行会谈后发表了联合声明,称两国之间有着十分良好的关系,两国对重大国际政治问题的看法存在着广泛的一致,双方同意在中国与欧盟全面战略伙伴关系框架内建立具有全球责任的伙伴关系,双方将努力继续深化合作,加强多边主义,密切协调,致力于建立一个相互合作的世界秩序。双方对会谈和访问表示十分满意。施罗德总理接受了再次访华的邀请,并表示感谢。(http://www.sina.com.cn 2004年05月04日19:01 新华网)

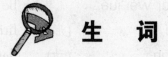

生　词

1. 并肩	bìngjiān	(副)	shoulder to shoulder
2. 携	xié	(动)	take sb. by hand
3. 邀请	yāoqǐng	(动)	invite
4. 政治	zhèngzhì	(名)	politics
5. 广泛	guǎngfàn	(形)	abroad
6. 框架	kuàngjià	(名)	frame
7. 协调	xiétiáo	(动)	correspond
8. 秩序	zhìxù	(名)	order, system

简要回答:

1. 双方对重大国际政治问题的看法是否一致?
2. 德国总理施罗德以前是否访问过中国?

第3课

经合组织说中国成为接受外国直接投资最多的国家

新华网北京7月4日电 经济合作与发展组织最近发表的一份报告说，2003年，中国接受的外国直接投资达到530亿美元。与此同时，据这份题为《外国直接投资趋势和近期发展》的报告说，美国接受的外国直接投资为399亿美元，比2002年的724亿美元下降了45％。中国超过美国，首次成为全球接受外国直接投资最多的国家。

报告说，2003年经合组织30个成员国的对外直接投资估计为5763亿美元，比2002年的5667亿美元略有增加，但大大低于2000年创下的12358亿美元的历史最高记录。

去年，流入经合组织成员国的外国直接投资为3844亿美元，比2002年的5350亿美元下降了28％，尚不及2000年创造的历史最高记录12880亿美元的三分之一。经合组织认为，去年流入经合组织国家外国直接投资下降的主要原因是，世界经济恢复缓慢、人们对国际安全担忧增加、许多公司把精力放在完善原有的业务而不是进行新的扩张。

在其他主要发达国家中，去年，德国接受的外国直接投资为129亿美元，比2002年下降了64％；流入英国的外国直接投资下降了近一半，减至146亿美元；法国接受的外国直接投资达到470亿美元，略低于2002年的489.5亿美元；日本接受的外国直接投资从前年的92亿美元下降到63亿美元。

报告说，印度去年接受的外国直接投资为40亿美元。俄罗斯去年接受的外国直接投资刚刚超过10亿美元，为上世纪90年代中期以来的最低水平。（http://www.sina.com.cn 2004年07月04日08:28 新华网）

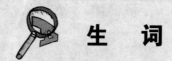

生　词

1. 投资	tóuzī	（名、动）	invest, investment
2. 趋势	qūshì	（名）	current, direction
3. 记录	jìlù	（名）	record
4. 尚	shàng	（副）	still, yet
5. 恢复	huīfù	（动）	renew, come back
6. 缓慢	huǎnmàn	（形）	slow
7. 担忧	dānyōu	（动）	be afraid of
8. 完善	wánshàn	（动、形）	consummate, perfect
9. 业务	yèwù	（名）	operation
10. 扩张	kuòzhāng	（名、动）	expand, outspread
11. 发达国家	fādá guójiā		developed country

专有名词

经合组织	Jīnghé Zǔzhī	Organisation for Economic Cooperation and Development

练　习

一、根据课文划线连接具有相同特点的词语

经合组织	10亿美元
中国	德国
发达国家	成员国
俄罗斯	530亿美元

二、划线搭配动词和名词(宾语)

发表	成员国
接受	记录
流入	报告
创造	投资

三、选择正确答案

1. 从课文来看,中国是什么时候成为接受外国直接投资最多的国家的?

　　1)2002年

　　2)2003年

　　3)2002和2003年都是

　　4)课文中没有说明　　　　　　　　　　　　(　　　)

2. 经合组织30个成员国对外直接投资的历史最高记录是多少?

　　1)5667亿美元

　　2)5763亿美元

　　3)12358亿美元

　　4)课文中没有说明　　　　　　　　　　　　(　　　)

3. 去年流入经合组织国家外国的直接投资下降的主要原因是:

　　1)世界经济恢复缓慢

　　2)国际安全形势令人担心

　　3)许多公司没有进行新的扩张

　　4)包括以上所有原因　　　　　　　　　　　(　　　)

4. 在其他主要发达国家中,接受外国直接投资最多的国家是:

　　1)法国

　　2)英国

　　3)德国

　　4)日本

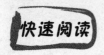

2004年1—4月全国吸收外商直接投资情况

商务部新闻办公室　2004-05-13 10:19

据商务部统计，今年1—4月份，全国新批设立外商投资企业14328家，比去年增长 17.46%；合同外资金额470.01亿美元，同比增长53.96%；实际使用外资金额196.17亿美元，同比增长 10.07%。

截止到2004年4月底，全国累计批准设立外商投资企业479605个，合同外资金额9901.30亿美元，实际使用外资金额5210.88亿美元。

北京现代发动机厂正式投产

2004年4月28日,北京现代汽车有限公司发动机厂宣布正式投产,该发动机厂占地21488平方米,首期规划年产15万辆。北京现代董事长徐和谊表示,它的投产标志着北京现代进入新的发展时期。

据悉,北京现代2005年还将在目前位于顺义区的第一工厂实现年产30万辆整车和30万台发动机的生产能力。

据了解,在北京现代新的发动机工厂,很多生产设备和检测仪器都是从美国、德国和韩国引进的,代表当今世界上最高的技术水平。目前在北京现代生产的发动机和部分汽车零部件,已经开始返销韩国并出口其他国家。(发布日期:2004.5.10)

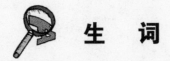 生　词

1. 发动机　　　fādòngjī　　　（名）　　engine
2. 投产　　　　tóuchǎn　　　（动）　　put into production
3. 规划　　　　guīhuà　　　（动、名）　program，plan
4. 董事长　　　dǒngshìzhǎng　（名）　　chairman of the board
5. 标志　　　　biāozhì　　　（动、名）　sign，signal，indicate，mark
6. 检测　　　　jiǎncè　　　（动）　　check-up，examine
7. 仪器　　　　yíqì　　　　（名）　　apparatus，instrument
8. 返销　　　　fǎnxiāo　　　（动）　　resell（by state）to the place of production

 专有名词

1. 现代汽车　　Xiàndài Qìchē　　　Hyundai motor
2. 顺义区　　　Shùnyì Qū　　　　Shunyi District，Beijing

判断正误

1. 北京现代汽车有限公司只生产汽车发动机和零部件。（　　　）

2. 在北京现代新的发动机工厂,生产设备和检测仪器都是从韩国引进的。（　　　）

3. 北京现代汽车有限公司的一些产品,已经开始出口到别的国家。（　　　）

阅读(二)

中意双向投资研讨会的成果

商务部新闻办公室 (2004-05-08 08:55)

　　5月6日—7日，由中国商务部和意大利生产活动部共同主办的意大利双向投资研讨会在罗马成功举行。国务院总理温家宝、意大利总理贝卢斯科尼到会并致辞，中意两国共1000多名企业家与会。

　　研讨会期间共举行了800多场对口会谈，达成近百个合作意向。其中，中对意投资主要集中在纺织、制鞋、家具、电信、渔业等领域。意对中的投资领域主要有旅游、家电、羊绒制品、家具、汽车配件、化工、飞机制造、医疗设备、生物制药、钢铁、基础设施建设、电信和皮革等。

生 词

1. 研讨	yántǎo	(动)	enter into deliberation; deliberate
2. 与会	yùhuì	(动)	attend a meeting or conference
3. 电信	diànxìn	(名)	telecommunications
4. 羊绒	yángróng	(名)	cashmere
5. 设施	shèshī	(名)	establishment
6. 皮革	pígé	(名)	leather

选择正确答案

1. 这次研讨会是在什么地方举行的？
   1）中国
   2）意大利
   3）在意大利和中国同时举行
   4）课文中没有说明 　　　　　　　　　　　　　　　（　　）

2. 这次会议讨论的问题是：
   1）中国对意大利投资问题
   2）意大利对中国投资问题
   3）包括以上两个方面
   4）中国和意大利的政治文化交流问题 　　　　　　（　　）

3. 双方都有兴趣的投资领域是：
   1）家具
   2）渔业
   3）旅游
   4）飞机制造 　　　　　　　　　　　　　　　　　（　　）

世界知名品牌"沃尔沃"进军西藏市场

　　随着西部大开发的不断深入，青藏铁路及一些大工程的陆续开工，各种工程设备也纷纷进入西藏，适应西藏特殊地理气候环境条件的建设设备竞争也越来越激烈了。12日下午，首次沃尔沃技术交流会在拉萨举行，这标志着世界知名品牌也开始参与这场竞争。

　　沃尔沃建设设备历史悠久，1832年在瑞典制造出了第一台机车，目前在全球200多个国家和地区销售他们的产品。沃尔沃在中国上海已建成工厂，可以满足整个亚洲地区的需要。（发布日期：2004.5.17）

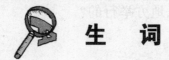 **生 词**

1. 知名	zhīmíng	(形)	famous
2. 品牌	pǐnpái	(名)	brand
3. 进军	jìnjūn	(动)	anabasis, advance
4. 陆续	lùxù	(副)	in succession
5. 纷纷	fēnfēn	(副)	one after another
6. 悠久	yōujiǔ	(形)	centuries-old
7. 机车	jīchē	(名)	engine, motorcycle
8. 销售	xiāoshòu	(动)	sell

 专有名词

1. 沃尔沃	Wò'ěrwò	Volvo Corporation
2. 青藏	Qīng-Zàng	Qinghai Province and Tibet Autonomous Region
3. 瑞典	Ruìdiǎn	Sweden

简要回答：

1. 这篇课文介绍的是沃尔沃在中国东部还是中国西部的发展？

2. 沃尔沃可以在中国生产自己的产品吗？

第4课
温家宝向德国工商界发表讲话

商务部新闻办公室　2004-05-08 14:33

正在柏林访问的中国国务院总理温家宝5月4日在柏林经济之家出席了德国经济亚太委员会举行的欢迎活动,并发表题为"共同开创中德经贸合作新局面"的讲话。

温家宝说,经过双方的共同努力,中德经贸合作成就显著。两国贸易额已由建交初期的2.7亿美元增加到去年的418亿美元。德国是中国在欧洲最大的贸易和技术合作伙伴,中国是德国在亚洲最大的贸易伙伴。

温家宝还介绍了当前中国的经济发展情况。他指出:中国自1978年实行改革开放政策以来,已经初步建立了社会主义市场经济体制。关税总水平已由2001年的15.3%降至现在的10.4%。目前,中国是世界上最为安全、最有吸引力的投资地之一。全球500强跨国公司中已有400多家在中国落户。从1978年到今年3月底,我国实际使用外商直接投资累计达5138亿美元。我们还鼓励和支持有优势的中国企业对外投资。中国已经形成开放型经济。

温家宝指出,中国经济是世界经济的重要组成部分。中国改革开放的不断推进和经济的更大发展,不仅造福于13亿中国人民,也有利于世界各国的发展,给各国企业家带来更多的商机。中国的发展为各国提供了巨大的市场。去年,中国就购买了4100多亿美元的外国商品,进口增长近40%,其中从德国的进口增长48.3%。中国物美价廉的商品,也使各国消费者得到实惠。

来自德国工商界的300多名代表出席了欢迎活动。当晚,德国总理施罗德出席了德国工商界为温家宝一行举行的欢迎宴会。

生 词

1. 工商界	gōng-shāngjiè		business circles
2. 开创	kāichuàng	（动）	start
3. 经贸	jīngmào	（名）	Economy and Trade
4. 改革开放	gǎigé kāifàng		reform and opening up
5. 政策	zhèngcè	（名）	policy
6. 社会主义市场经济	shèhuì zhǔyì shìchǎng jīngjì		
			Socialist market economy
7. 体制	tǐzhì	（名）	system
8. 关税	guānshuì	（名）	custom, duty
9. 跨国公司	kuàguó gōngsī		multinational
10. 落户	luòhù	（动）	settle
11. 外商	wàishāng		foreign businessman
12. 商机	shāngjī		business opportunities
13. 物美价廉	wù měi jià lián		a bargain, excellent goods at modest prices
14. 实惠	shíhuì	（形）	boon
15. 宴会	yànhuì	（名）	banquet, dinner party

 专有名词

1. 柏林	Bólín	Berlin
2. 国务院	Guówùyuàn	State Department
3. 亚太	Yà-Tài	Asia and the Pacific

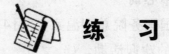 练　习

一、根据课文划线连接具有相同特点的词语

欧洲　　　　　　　　　　　外商

改革开放政策　　　　　　　有利于

跨国公司　　　　　　　　　市场

鼓励　　　　　　　　　　　社会主义市场经济体制

造福于　　　　　　　　　　支持

商机　　　　　　　　　　　亚洲

二、划线搭配动词和名词（宾语）

发表　　　　　　　　　　　体制

建立　　　　　　　　　　　实惠

使用　　　　　　　　　　　讲话

得到　　　　　　　　　　　投资

三、比较A、B两句的意思是否相同

1. A）温家宝说，中德两国贸易额已由建交初期的2.7亿美元增加到去年的418亿美元。

　B）温家宝说，中德两国从建交到现在的贸易额一共是418亿美元。（　　　）

2. A）德国是中国在欧洲最大的贸易伙伴，中国是德国在亚洲最大的贸易伙伴。

　B）中国和德国互为对方的最大贸易伙伴。（　　　）

3. A）目前，中国是世界上最为安全、最有吸引力的投资地之一。全球500强跨国公司中已有400多家在中国落户。

　B）目前，全世界最大的500家跨国公司中，有80%以上在中国投资。（　　　）

4. A）我们还鼓励和支持有优势的中国企业对外投资。中国已经形成开放型经济。

　B）中国经济已经非常开放，我们希望有优势的中国企业接受更多的外商投资。（　　　）

四、指出划线动词的宾语中心词

1. 正在柏林访问的中国国务院总理温家宝5月4日在柏林经济之家出席了德国经济亚太委员会举行的欢迎活动。（　　）

2. 温家宝发表题为"共同开创中德经贸合作新局面"的讲话。（　　）

3. 中国自1978年实行改革开放政策以来,已经初步建立社会主义市场经济体制。（　　）

4. 温家宝还介绍了当前中国的经济发展情况。（　　　）

五、选择正确答案

1. 中国国务院总理温家宝是在以下哪个方面举行的活动中发表讲话的?

    1）德国方面

    2）中国方面

    3）中国和德国共同举行

    4）其他国家　　　　　　　　　　　　　　　　　　　　（　　　）

2. 目前中国的关税总水平是多少?

    1）和1978年的水平相同

    2）15.3%

    3）10.4%

    4）课文中没有说明　　　　　　　　　　　　　　　　　（　　　）

3. 中国在什么时间范围内实际使用外商直接投资5138亿美元?

    1）1978年

    2）今年3月底

    3）从1978年到今年3月底

    4）温家宝总理发表讲话的时候　　　　　　　　　　　　（　　　）

4. 在温家宝总理谈到从德国进口商品的时候,以下哪一句的说明是正确的?

    1）去年,中国购买了4100多亿美元的德国商品

    2）去年,中国从德国的进口增长了近40%

    3）去年,中国从德国的进口增长48.3%

    4）德国商品物美价廉,使中国消费者得到了实惠　　　　（　　　）

中欧投资贸易研讨暨洽谈会成果

商务部新闻办公室　2004-05-08 10:41

　　5月6日,中国商务部和欧盟委员会贸易总司在布鲁塞尔联合主办了"中欧投资贸易研讨会"。

　　中欧企业家对活动高度关注,77家中方企业与近300名来自英、法、德、比等国的企业家与会,部分欧盟企业家还决定年内组团来华考察,寻求进一步合作的机会。

第95届中国出口商品交易会闭幕

商务部新闻办公室　2004-05-01 22:49

　　4月30日,第95届中国出口商品交易会在广州闭幕。

　　本届广交会累计成交245.1亿美元,比上届增长19.6%。

　　从商品看,机电产品、服装、纺织品成交活跃,成交额分别为95.4亿美元、28.6亿美元、21.8亿美元, 占总成交额的比重分别为39%、11.7%、8.9%,分别增长16.1%、41.9%、33.6%。建材和玩具增长较快,分别增长113.7%和38.7%,成交额分别为5.9亿美元和7.3亿美元。

从国家(地区)看,与欧盟、美国和中东成交额仍列前三位,金额分别为73.3亿美元、42.8亿美元和28.1亿美元。同俄罗斯、澳大利亚和韩国成交额快速增长,分别增长33.2%、29.7%和27.2%。

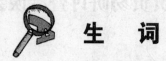

生　词

1. 交易	jiāoyì	(名、动)	business, trade
2. 闭幕	bìmù	(动)	conclude
3. 累计	lěijì	(动)	add up, accumulate
4. 成交	chéngjiāo	(动)	close a deal, strike a bargain
5. 机电	jīdiàn	(名)	machinery and electrical equipment
6. 成交额	chéngjiāo é		business volume
7. 建材	jiàncái	(名)	building materials

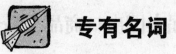

专有名词

| 1. 中东 | Zhōngdōng | Middle East |
| 2. 澳大利亚 | Àodàlìyà | Australia |

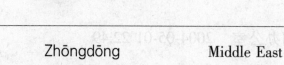

判断正误

1. 这次交易活动是在国外举行的。（　　　）
2. 第95届中国出口商品交易会的成交额比第94届增长19.6%。（　　　）
3. 在这次交易会上,出口成交额最高的产品是纺织品。（　　　）
4. 在出口产品中,成交额增长最快的是建材。（　　　）
5. 从国家(地区)看,对美国的出口最多,其次是欧盟和中东。（　　　）

进口需求强劲
我国连续4个月出现贸易逆差

新华网北京5月14日电(记者　张毅)由于国内经济持续快速发展,对进口原材料和能源的需求强劲,今年前4个月我国外贸进口增幅高于出口增幅8.9个百分点, 贸易逆差从3月末的84.3亿美元扩大到4月末的107.6亿美元。

海关最新统计显示, 今年前4个月我国进出口总值3362.4亿美元,同比增长38%,其中出口1627.4亿美元,进口1735亿美元,分别增长33.5%和42.4%。

海关统计还显示,1至4月, 我国进口初级产品346亿美元, 增长61.8%,其中:进口食用植物油227万吨,增长1倍;进口大豆664万吨,增长8.9%, 比上月末回落30.3个百分点;进口原油4014万吨, 增长33.3%。(http://www.sina.com.cn 2004年05月14日19:43 新华网)

生　词

1. 需求　　xūqiú　　　　（名）　demand, requirement
2. 强劲　　qiángjìng　　（形）　driving, powerful, forceful
3. 逆差　　nìchā　　　　（名）　trade deficit
4. 原材料　yuáncáiliào　（名）　raw and processed materials
5. 能源　　néngyuán　　（名）　energy sources
6. 增幅　　zēngfú　　　　（名）　amplitude, increasing range
7. 海关　　hǎiguān　　　（名）　the Customs
8. 大豆　　dàdòu　　　　（名）　soy, soybean

选择正确答案

1. 从贸易情况来看,中国最需要进口的是哪些产品?

　　1）一切产品

　　2）原材料

　　3）能源

　　4）包括2）和3）　　　　　　　　　　　　　　　　（　　）

2. 2004年1月份到4月份,中国的进口同比增长速度是多少?

　　1）8.9%

　　2）33.5%

　　3）38%

　　4）42.4%　　　　　　　　　　　　　　　　　　　（　　）

3. 2004年1至4月,中国进口的初级产品中,增长最快的是什么产品?

　　1）食用植物油

　　2）大豆

　　3）原油

　　4）课文中没有说明　　　　　　　　　　　　　　（　　）

薄熙来会见德国经济和劳工部长

商务部新闻办公室　　2004-05-08 14:28

　　陪同中国国务院总理温家宝访问德国的商务部部长薄熙来4日在柏林应约与德国经济和劳工部长克莱门特举行对口会谈,双方就进一步发展和加强中德双边经贸合作关系、落实两国总理提出的在2010年使双边贸易额翻一番的目标深入交换了意见。

　　克莱门特表示,德方支持中方申请完全市场经济地位的正当立场,将积极回应中方的合作建议。

　　2003年,中德双边贸易额达418亿美元,同比增长50.7%。

 生　　词

1. 劳工	láogōng	(名)	labor, worker
2. 落实	luòshí	(动)	carry out, fulfil, put into effect
3. 正当	zhèngdàng	(形)	proper, correct
4. 立场	lìchǎng	(名)	position, standpoint
5. 回应	huíyìng	(动)	responses

简要回答:

　　1. 中国商务部部长薄熙来与德国方面的哪一位官员举行了会谈?

　　2. 2003年的中德双边贸易额比2002年增长了百分之多少?

第5课
近期钢材价格明显回落
宏观调控政策初见成效

国务院发布消息显示,近期钢材价格明显回落,国家宏观调控政策初见成效。

去年以来的钢材价格上涨持续到今年3月初。但3月中旬以来国内钢材特别是建筑钢材价格出现明显回落,目前代表性产品的价格已经回落到每吨3250元和3440元左右,较3月初每吨下跌了750元以上。近期钢材价格还呈现加速下跌态势。

去年以来,在房地产、汽车、机械等行业快速发展和基本建设需求旺盛的情况下,国内钢材价格出现了持续大幅度上涨。到今年3月初,主要钢材品种价格比去年同期上涨千元以上。钢材价格上涨对下游行业生产经营造成了一定影响,也进一步刺激了钢铁生产企业投资的热情。今年前2个月,钢铁行业完成投资169亿元,同比增长202%。生产能力急剧扩张也带来了钢铁生产原料供应紧张,价格暴涨。生产钢铁所需要的铁矿石、废钢、焦炭价格,同比上涨200%、50%和40%,进一步提高了钢材成本和价格,形成恶性循环。

为解决经济发展中出现的突出问题,国务院及时果断采取了一系列宏观调控措施。今年调控力度进一步加大,限制一些过热行业的发展,对钢材市场的影响逐步显现。

从全国22个主要城市钢材交易市场来看,自3月中旬以来,主要钢材品种已经连续6周回落,其中建筑用钢材价格累计回落750元/吨以上,回落幅度在17%以上,已经回落到去年12月初的价格水平。4月26日以来,国内钢材价格呈现了加速下跌态势。

尽管近期国内钢材价格明显回落,但目前钢材价格仍处在较高的水平,主要钢材品种价格较去年同期仍高出30%左右。随着国家有关宏观调控政策的进一步落实和钢铁生产相关原料价格回落,近期钢材价格仍会呈现下跌态势。(来源:**中华工商时报** 2004-05-11 09:32 编辑:**张晋**)

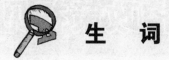

生 词

1. 钢材	gāngcái	(名)	steel products, steels
2. 回落	huíluò	(动)	fall in prices (after a rise)
3. 宏观调控	hóngguān tiáokòng		macroeconomic regulation, macro-control
4. 成效	chéngxiào	(名)	effect
5. 持续	chíxù	(动)	continue, persist
6. 中旬	zhōngxún	(名)	the middle ten days of a month
7. 下跌	xiàdiē	(动)	fall, decline
8. 加速	jiāsù	(动)	quicken up, speed-up
9. 态势	tàishì	(名)	situation, state
10. 房地产	fáng-dìchǎn	(名)	real estate
11. 机械	jīxiè	(名)	machine, mechanism
12. 旺盛	wàngshèng	(形)	bloom, vigorous, prolific
13. 幅度	fúdù	(名)	range, scope
14. 下游	xiàyóu	(名)	downriver, downstream, lower level
15. 刺激	cìjī	(动)	stimulate
16. 原料	yuánliào	(名)	material
17. 铁矿石	tiě kuàngshí		ironstone
18. 焦炭	jiāotàn	(名)	coke (a type of raw material)
19. 恶性循环	èxìng xúnhuán		a vicious circle
20. 果断	guǒduàn	(形)	decisive, resolute
21. 采取	cǎiqǔ	(动)	adopt, take
22. 措施	cuòshī	(名)	measure, step

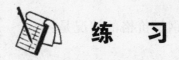

练 习

一、根据课文划线连接具有相同特点的词语

钢材价格　　　　　　　　铁矿石、废钢、焦炭

宏观调控政策　　　　　　基本建设

房地产、汽车、机械行业　成效

钢铁生产原料　　　　　　回落

二、划线搭配动词和名词(宾语)

呈现　　　　　　　　　　态势

造成　　　　　　　　　　影响

完成　　　　　　　　　　投资

采取　　　　　　　　　　措施

限制　　　　　　　　　　发展

三、连句

1. A) 3月中旬以来

   B) 出现明显回落

   C) 国内钢材特别是建筑钢材价格

   正确的顺序是(　　　　)

2. A) 国内钢材价格出现了持续大幅度上涨

   B) 在汽车行业快速发展的情况下

   C) 去年以来

   正确的顺序是(　　　　)

3. A) 对下游行业生产经营造成了一定影响

   B) 钢材价格上涨

   C) 也进一步刺激了钢铁生产企业投资的热情

   正确的顺序是(　　　　)

4. A) 主要钢材品种价格较去年同期仍高出30%左右

   B) 但目前钢材价格仍处在较高的水平

   C) 尽管近期国内钢材价格明显回落

   正确的顺序是(　　　　)

四、选择正确答案

1. 去年到今年3月初,钢材价格的情况是:

　　1) 一直在上涨

　　2) 基本保持稳定

　　3) 有时上涨有时下降

　　4) 一直在下降　　　　　　　　　　　　　　　　（　　　）

2. 钢材价格上涨的原因是什么,请指出以下不正确的一项:

　　1) 房地产、汽车、机械等行业快速发展

　　2) 基本建设需求旺盛

　　3) 国家采取宏观调控措施

　　4) 钢铁生产原料供应紧张　　　　　　　　　　　（　　　）

3. 从3月中旬到4月26日以来,钢材价格有什么变化?

　　1) 保持稳定

　　2) 有时上升有时下降

　　3) 平稳下降

　　4) 下降速度越来越快　　　　　　　　　　　　　（　　　）

4. 经过国家的宏观调控,目前国内钢材价格的情况怎么样?

　　1) 课文中没有说明

　　2) 仍然高于去年同时期

　　3) 与去年同期一样

　　4) 已经低于去年同时期　　　　　　　　　　　　（　　　）

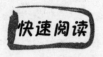

中国钢铁消费量占世界总消费量四分之一

东方网12月26日消息： WTO前副总干事拉维埃日前在参加上海WTO事务咨询中心顾问委员会2003年年会时称，目前中国的钢铁年消费量占全球总消费量的25%,并以每年8%的速度递增,而其他国家钢铁消费量年均增幅仅1.8%。(选稿: **张爱群**　来源: **中国机械信息网**)

上半年我国钢铁生产持续增长

从中国钢铁工业协会了解到,今年上半年我国钢铁行业生产有三个方面的特点,钢铁产量持续增长,产品结构继续改善。

今年1~6月份,我国生产钢同比增长21%,其中钢、铁等均出现较大幅度的增长。生产钢最多的省、市为河北、辽宁、上海、江苏、山东、湖北。这6省市共生产钢5752万吨,约占上半年全国钢产量的56%。上半年钢铁生产有以下几个特点:

——市场需求旺盛,供需基本平衡,价格恢复上涨,部分品种先涨后降。

——钢铁企业赢利水平提高,经营状况明显改善。今年1~6月份,我国89家重点冶金企业实现利润209亿元,增长143%。

——进口大幅度增长,出口有所增加,进出口贸易活跃。今年1~6月份,我国进口钢材同比约增长58%。国产钢材虽然总量增加,但国内市场占有率由去年上半年的89%, 下降到今年上半年的85%。(2003-08-22)
(来源: **产经网—中国矿业报**)

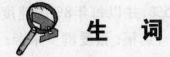

生　词

1. 协会	xiéhuì	（名）	association
2. 上涨	shàngzhǎng	（动）	advancing, rise
3. 赢利	yínglì	（动）	in the black, profit
4. 冶金	yějīn	（名）	metallurgy
5. 活跃	huóyuè	（形）	active
6. 占有率	zhànyǒulǜ	（名）	percentage held

判断正误

1. 今年1~6月份，我国钢产量比去年全年增长21%。（　　）

2. 河北、辽宁、上海、江苏、山东、湖北六个省市的产量，超过上半年全国钢产量的一半。（　　）

3. 中国的钢铁企业生产和销售情况明显改善。（　　）

4. 中国自己生产的钢材，完全可以满足国内市场的需要。（　　）

钢铁生产原料短缺　导致全球钢价上升

美国的WSD认为，目前世界钢材市场和钢铁生产原料市场价格产生"火山喷发"式上涨的主要原因是在全球范围内出现了历史上前所未有的钢铁生产原料的严重短缺状况。现在全球性生产原料的供应短缺已经涉及到废钢、生铁、铁矿石、焦炭等一系列与钢铁生产有关的原料和燃料，短缺甚至波及到与上述原料供给有关的世界远洋运输能力和港口装卸能力。全球短缺状况的出现必然会导致市场价格的上升。

过高的价格上升之后,跟随而来的一定是价格的下降或合理调整,这只是个时间和幅度问题。从目前看,2004年下半年度,世界钢材市场的价格下跌已成必然,如果近期世界钢材市场的价格仍在大幅上升,则市场价格的回落也会有所提前。(2004年2月16日 15:40) (来源: 冶金信息网)

生　词

1. 火山	huǒshān	（名）	volcano
2. 喷发	pēnfā	（动）	eruption
3. 前所未有	qián suǒ wèi yǒu		unprecedented
4. 短缺	duǎnquē	（形）	shortage
5. 废钢	fèigāng	（名）	pig iron
6. 生铁	shēngtiě	（名）	pig iron
7. 远洋	yuǎnyáng	（名）	the high seas, ocean
8. 港口	gǎngkǒu	（名）	port
9. 装卸	zhuāngxiè	（动）	load and unload

选择正确答案

1. 美国的WSD认为,目前世界钢材市场和钢铁生产原料市场价格产生"火山喷发"式上涨。在这里,"火山喷发"是比喻:

   1）世界钢材市场和钢铁生产原料市场价格全面、快速上涨

   2）人们没有预料到世界钢材市场和钢铁生产原料市场价格上涨

   3）人们对世界钢材市场和钢铁生产原料市场价格上涨感到高兴

   4）世界钢材市场和钢铁生产原料市场价格上涨只是暂时现象（　　　）

2. 作者认为价格上涨是由于"短缺"引起的,请指出他没有提到的方面:

   1）废钢、生铁、铁矿石等一系列与钢铁生产有关的原料短缺

   2）焦炭等一系列与钢铁生产有关的燃料短缺

   3）世界远洋运输能力和港口装卸能力短缺

4）各国的劳动力短缺　　　　　　　　　　　　　　　　（　　）

3. 作者认为，2004年下半年的世界钢材市场价格将会有什么变化？

1）保持稳定

2）下降

3）继续上升

4）还不清楚　　　　　　　　　　　　　　　　　　　（　　）

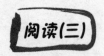

日本最大钢铁生产商新日铁在华建厂

　　日本最大的钢铁生产商新日铁计划在中国建厂，为本地汽车生产商提供钢材。新日铁总经理表示，每个工厂将耗资5500万美元，这些工厂可能建在广东和长三角周边地区。

　　新日铁希望借此加强和汽车厂商的联系。分析师表示，直接进入中国市场，可以帮助新日铁控制价格和增加利润。新日铁将和中国的钢铁厂商形成激烈竞争，这些中国厂商正在生产高质量的汽车钢材以减少从日本和欧洲的进口。目前，宝钢占据60%的市场份额，主要为通用汽车、大众和标致雪铁龙供货；而新日铁的客户有一汽、丰田和东风。(2004-06-19 07:00)

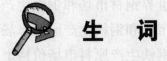 生 词

1. 周边	zhōubiān	（名）	surrounding areas
2. 分析师	fēnxīshī	（名）	analyst

专有名词

1. 新日铁	Xīnrìtiě	Nippon Steel Corporation
2. 长三角	Chángsānjiǎo	Yangtse River Delta
3. 宝钢	Bǎogāng	Baoshan Iron & Steel Corporation (Baosteel)
4. 通用汽车	Tōngyòng Qìchē	General Motors Corporation
5. 大众	Dàzhòng	Volkswagen AG
6. 标致雪铁龙	Biāozhì Xuětiělóng	Peugeot Citroen
7. 一汽	Yīqì	China FAW Group Corporation
8. 丰田	Fēngtián	Toyota Corporation
9. 东风	Dōngfēng	Dongfeng Motor Corporation

简要回答:

1. "新日铁"在日本钢铁企业中占有什么样的地位?

2. "新日铁"计划为哪个行业生产钢材?

第6课 禁毒宣传

公安部：我国加强禁毒领域国际合作取得新突破

新华网北京5月22日电（记者　王雷鸣　邱红杰）中美两国密切协作于日前破获的"125"跨国贩毒案，成为我国警方加强禁毒领域国际合作的又一成功案例。

据公安部禁毒局介绍，中美双方经过1年多的侦查，于5月16日对这起代号为"125"的国际贩毒案件采取收网行动。截至5月21日，在案件涉及到的中国、美国，警方共抓获犯罪嫌疑人28名，缴获海洛因40.2千克、冰毒80克、麻黄素35千克，缴获毒资人民币80余万元、美金11万元、港币50余万元、汽车4辆。

据调查，"125"贩毒团伙是一个涉及地域广、贩毒时间长、成员众多、组织严密的跨国贩毒组织，他们不仅贩卖传统毒品海洛因，还兴建冰毒加工厂，以牟取更大的利润。骨干成员多为职业毒贩，善于逃避警方打击。

公安部禁毒局认为，通过"125"案件的破获，使各国在信息和行动方面的合作更加密切。

公安部提供的材料显示，我国警方近年来不断扩大与相关国家的合作，为国际禁毒事业做出了积极贡献。

去年，我国警方与缅甸、老挝警方在边境地区开展了11次联合行动，抓获境外犯罪分子36名，创历年最高记录。中国、泰国、美国、缅甸和中国香港警方联合破获的"3·30"特大国际贩毒案，抓获犯罪嫌疑人20余人，缴获海洛因356.95千克。在中日警方的共同努力下，"1·6"跨国特大贩卖冰毒案也成功破获，缴获冰毒150千克。

生 词

1. 禁毒	jìndú	（动）	
2. 密切	mìqiè	（形）	intimate, close
3. 协作	xiézuò	（动、名）	cooperation
4. 贩毒	fàndú	（动）	sell drugs, traffic in narcotics
5. 案例	ànlì	（名）	case
6. 侦查	zhēnchá	（动）	investigation, investigate
7. 代号	dàihào	（名）	code name
8. 案件	ànjiàn	（名）	case
9. 收网	shōu wǎng		pull in the net
10. 截至	jiézhì	（动）	up to
11. 涉及	shèjí	（动）	deal with, involve
12. 抓获	zhuāhuò	（动）	seize, catch hold of
13. 犯罪嫌疑人	fànzuì xiányírén		suspect
14. 缴获	jiǎohuò	（动）	capture
15. 海洛因	hǎiluòyīn	（名）	heroin
16. 冰毒	bīngdú	（名）	crystal meth, methamphetamines
17. 麻黄素	máhuángsù	（名）	ephedrine
18. 毒资	dúzī	（名）	drug capital
19. 地域	dìyù	（名）	zone, section
20. 成员	chéngyuán	（名）	leaguer, member
21. 兴建	xīngjiàn	（动）	build, construct
22. 牟取	móuqǔ	（动）	obtain, seek
23. 利润	lìrùn	（名）	profit
24. 骨干	gǔgàn	（名）	backbone, cadreman
25. 毒贩	dúfàn	（名）	drug peddlar, drug dealer
26. 逃避	táobì	（动）	escape, evade
27. 边境	biānjìng	（名）	border, frontier

专有名词

1. 缅甸	Miǎndiàn	Burma (Myanmar)
2. 老挝	Lǎowō	Laos

练 习

一、根据课文划线连接具有相同特点的词语

贩毒	时间
国际合作	毒贩
海洛因	抓获
美元	冰毒
破获	港币
地域	联合行动

二、划线搭配动词和名词（宾语）

采取	中国	兴建	利润
涉及	行动	贩卖	打击
抓获	麻黄素	牟取	加工厂
缴获	犯罪嫌疑人	逃避	海洛因

三、指出划线词语的宾语中心词

1. 日前中美两国密切协作破获的"125"跨国贩毒案,成为我国警方加强禁毒领域国际合作的又一成功案例。（　　　）

2. "125"贩毒团伙是一个涉及地域广、贩毒时间长、成员众多、组织严密的跨国贩毒组织。（　　　）

3. 我国警方近年来不断扩大与相关国家的合作。（　　　）

4. 我国警方与缅甸、老挝警方在边境地区开展了11次联合行动,抓获境外犯罪分子36名,创历年最高记录。（　　　）

49

四、选择正确答案

1. 课文中介绍的"125"跨国贩毒案是由哪些国家破获的？

  1）中国

  2）美国

  3）中国和美国

  4）包括中国和美国在内的很多国家　　　　　　　　（　　　）

2. 警方对"125"跨国贩毒案的"收网行动"是什么时候开始的？

  1）5月22日　　　　　　　　2）5月16日

  3）5月21日　　　　　　　　4）一年多以前　　　　（　　　）

3. 课文中介绍"125"跨国贩毒组织的时候，没有提到的部分是：

  1）这个组织的活动地域

  2）这个组织的活动时间

  3）成员组织严密

  4）每个成员的个人特点　　　　　　　　　　　　　（　　　）

4. 破获"125"跨国贩毒案是中国警方开展的第几次国际合作？

  1）课文中没有说明　　　　　2）第11次

  3）第12次　　　　　　　　　4）14次　　　　　　（　　　）

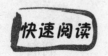

吸毒人数达百万
我国面临毒品问题依然严峻

新华社北京3月4日电（记者　曲志红）毒品，这个曾给中华民族带来巨大创伤，并在近20多年再度死灰复燃的社会公害，目前仍然继续蔓延。国家禁毒委员会办公室提供的最新数字，2002年我国登记在册的吸毒人数达到100万人，涉毒地区遍布全国2148个县市（区），我国面临的毒品问题十分严峻。（2003年06月04日11:17）

国家禁毒委员会全面部署今年全国禁毒工作

新华网北京3月26日电国家禁毒委员会主任周永康强调，今年的禁毒工作要着重抓好四件事：

第一，以青少年为重点，抓好禁毒宣传教育工作。特别是要加强对在校中小学生、流动人口、社会闲散人员的远离毒品教育活动，以提高全民禁毒意识。

第二，以整治拥有吸毒人员千人以上的县市区为重点，抓好创建"无毒社区"、"无毒村"的工作。要注意重点解决吸毒人员复吸率居高不下的问题。

第三，继续以云南等边境省区为重点，抓好堵源截流工作。堵源截流要抓好四个环节的工作：一是力争把毒品堵在边境一线；二是加强对公路、铁路、水路的查缉工作，力争把毒品查获在边境省内；三是云南等边境省区要加强对出省通道查缉工作，切断毒品流向内地的通道；四是加强对易制毒化学品走私外流的堵截工作，决不能让其走私出境。

第四，以制毒、贩毒猖獗地区和娱乐场所为重点，抓好禁毒执法和整治工作。要重点打击跨区域贩毒、制贩冰毒和"摇头丸"、歌舞娱乐场所吸贩毒、非法买卖走私易制毒化学品和非法种植罂粟的犯罪活动。

 生　词

1. 着重	zhuózhòng	（副）	emphasize, stress
2. 流动	liúdòng	（动）	floating, flowing
3. 闲散	xiánsǎn	（形）	idle, without fixed duties
4. 全民	quánmín	（形）	whole people, all the people

5. 社区	shèqū	（名）	community
6. 复吸率	fùxīlǜ	（名）	recover rate
7. 居高不下	jū gāo bú xià		to stay in a high position without going down
8. 堵源截流	dǔ yuán jié liú		block the source, cut the flow
9. 查缉	chájī	（动）	investigate and seize
10. 化学品	huàxuépǐn	（名）	chemical product
11. 猖獗	chāngjué	（形）	rampant, unruly
12. 摇头丸	yáotóuwán	（名）	Ecstasy
13. 罂粟	yīngsù	（名）	opium poppy

选择正确答案

1. 在谈到禁毒宣传教育工作的时候,周永康强调了对以下几种人的教育,指出他没有提到的一种:

   1）在校中小学生

   2）大学生

   3）流动人口

   4）社会闲散人员 （ ）

2. 在谈到整治县市区,创建"无毒社区"、"无毒村"的时候,周永康认为应该重点整治的是什么样的地方?

   1）人口比较多的县市区

   2）靠近边境的县市区

   3）吸毒人员比较集中的县市区

   4）靠近公路的县市区 （ ）

3. 从周永康谈到的"堵源截流"工作重点来看,在中国出现的毒品,主要来自哪里?

   1）国外

   2）中国的边境省区

   3）中国内地

   4）目前还不清楚 （ ）

4. 在最后一段，周永康谈禁毒执法和整治工作的时候，没有直接提到的毒品是什么？

1) 冰毒
2) 摇头丸
3) 罂粟
4) 海洛因　　　　　　　　　　　　　　　　　　　　　（　　）

我国吸毒人员持续增加　禁毒形势十分严峻

　　当前，毒品问题全球化趋势日渐显著，在国际形势影响下，我国的毒品形势十分严峻。西南、西北境外分别面临着毒源地的冲击，欧美国家生产的新型毒品也经我国东南沿海地区向内地渗透。在海洛因等传统毒品尚未得到有效解决的情况下，冰毒、"摇头丸"等新型毒品来势迅猛，境内外贩毒人员相勾结在国内的制毒活动日益向规模化发展。国内毒品消费市场不断扩大，吸毒人员持续增加，非法种植毒品原植物时有出现，麻醉药品、精神药品和易制毒化学品流入非法渠道难以完全禁止，我国的禁毒工作面临着巨大的压力与挑战。（http://www.sina.com.cn 2004年06月25日17:43 公安部）

生　词

1. 全球化	quánqiúhuà		globalization
2. 日渐	rìjiàn	（副）	increasingly,　gradually

3. 渗透	shèntòu	(动)	permeate, seep in
4. 规模化	guīmóhuà		scaled
5. 消费	xiāofèi	(动)	consume
6. 麻醉	mázuì	(动)	anasthetic

判断正误

1. 虽然全世界的毒品问题已经非常严重,但是我国受到的影响还不是很大。(   )

2. 在我国的西南和西北方向的境外,有两个重要的毒品来源地。(   )

3. 海洛因等传统毒品已经退出市场,目前流行的是冰毒、"摇头丸"等新型毒品。(   )

4. 中国国内一些地方不仅有了吸毒和贩毒人员,而且有了生产毒品的条件。(   )

中缅联手摧毁境外迄今最大制毒工厂

滇池晨报(记者　孙伟)　3月30日,由云南省和缅甸部队具体实施,联合摧毁了一个位于泰缅边境缅方一侧的毒品加工厂。该加工厂距泰缅边境约10公里,森林密布、人迹罕至。

今年2月,云南省公安厅发现了该毒品加工厂的初步情况,缅方通过周密组织和仔细侦查,进一步确定了该加工厂的具体位置和毒品加工情况后,于3月30日上午采取摧毁该加工厂的扫毒行动,当场缴获毒品466千克及一大批制毒工具和各种枪支,抓获犯罪嫌疑人37名。事后,应缅方邀请,中方派出人员视察了被摧毁的毒品加工厂现场。目前,案件正由缅方作进一步审理。(2003-04-10)

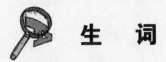

生　词

1. 联手　　　liánshǒu　　　（动）　　associate with
2. 摧毁　　　cuīhuǐ　　　　（动）　　destroy , smash
3. 迄今　　　qìjīn　　　　　（动）　　so far
4. 森林　　　sēnlín　　　　（名）　　forest
5. 人迹罕至　rén jì hǎn zhì　　　　unfrequented , untraversed
6. 视察　　　shìchá　　　　（动）　　inspection
7. 现场　　　xiànchǎng　　（名）　　locale , scene
8. 审理　　　shěnlǐ　　　　（动）　　cognizance , hear

专有名词

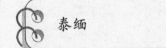

泰缅　　　Tài-Miǎn　　　　Thailand and Burma（Myanmar）

简要回答：

1. 中国和缅甸联合摧毁的这座毒品加工厂在哪个国家？

2. 这座毒品加工厂是由哪个国家首先发现的？

第7课

申奥胜利 中国欢腾

（莫斯科综合电2001-07-14）　北京昨日以压倒性的56票,当选为2008年奥运会的举办城市。这是世界人口最多的中国,首次获得奥运会的主办权。获悉申奥胜利后,中国举国欢腾,立即展开了各种热烈庆祝活动。

"我们赢了!"这个万众期待的消息传至北京,使整个北京城沸腾了,数以百万计观看直播节目的北京人不约而同地从城市的各个角落发出震天的欢呼声。无数的人们走出家门,分享这一历史性胜利的喜悦。

中国最高领导人江泽民、朱镕基等人亲临设在中华世纪坛的庆祝现场,与民同庆。凌晨1时,他们又来到天安门与大家一起庆祝。

在莫斯科,代表中国政府率领申奥团的副总理李岚清,在接受记者采访时说,1993年北京第一次申奥失败后,全国人民发愤图强,中国在文化、体育、教育和科技等方面都取得了长足进展。今天,8年的奋斗终于得到承认。"我们感谢世界给予我们的信任。"

在香港,昨天晚上,香港政府高官和数十个体育组织、各政党代表一起参加了在九龙公园室内体育场举行的大型晚会。数千名市民为北京成功获得2008年奥运主办权欢呼,香港特别行政区长官董建华说:"这是所有中国人民感到无比骄傲、无比兴奋的时刻"。

国际奥委会的105名成员,昨日在莫斯科召开的第112次国际奥委会大会上,经过两轮投票选出北京为2008年举办奥运会的城市。其他四个落选城市所获得的票数分别为:多伦多(22票)、巴黎(18票)、伊斯坦布尔(9票)。

国际奥委会昨天下午第一轮投票的结果如下:北京:44票、多伦多:20票、伊斯坦布尔:17票、巴黎:15票、大阪:6票(被淘汰出局)。

　　中国副总理李岚清在投票之前的陈述中说,中国政府坚定支持北京申请举办2008年奥运会,并将信守在北京陈述报告中所作的所有承诺。他保证,如果此次奥运会有盈余,将用来成立一个奥林匹克友谊合作基金,帮助发展中国家的体育事业。

　　北京市市长刘淇在发言中说,90%以上的中国人民支持北京申办奥运,因为大家都相信举办奥运将有助于改进他们的生活质量,能促进经济与社会的更快发展。

生　词

1. 申奥	shēn Ào		apply to host the Olympics
2. 欢腾	huānténg	(形)	jubilation
3. 压倒性	yādǎoxìng	(形)	overpowering, overwhelming
4. 当选	dāngxuǎn	(动)	come in, election
5. 主办	zhǔbàn	(动)	front for
6. 沸腾	fèiténg	(动)	boil, bubble up
7. 直播	zhíbō	(动)	living broadcast
8. 亲临	qīnlín	(动)	come or go to (a place) in person
9. 发愤图强	fāfèn túqiáng		work energetically to make sth. strong
10. 进展	jìnzhǎn	(名)	progress, advancement
11. 给予	jǐyǔ	(动)	pay, give
12. 信任	xìnrèn	(名、动)	faith, trust
13. 无比	wúbǐ	(副)	inimitable, unparalleled
14. 淘汰	táotài	(动)	eliminate through selection or contest
15. 出局	chū jú		out, leave an activity
16. 陈述	chénshù	(动)	statement, presentation
17. 信守	xìnshǒu	(动)	abide by, stand by
18. 盈余	yíngyú	(名)	surplus
19. 基金	jījīn	(名)	fund
20. 发展中国家	fāzhǎn zhōng guójiā		developing country

专有名词

1. 多伦多	Duōlúnduō	Toronto
2. 巴黎	Bālí	Paris
3. 伊斯坦布尔	Yīsītǎnbù'ěr	Istanbul
4. 大阪	Dàbǎn	Osaka

练 习

一、根据课文划线连接具有相同特点的词语

北京　　　　　　　　　　兴奋

承认　　　　　　　　　　大阪

骄傲　　　　　　　　　　基金

伊斯坦布尔　　　　　　　莫斯科

盈余　　　　　　　　　　信任

二、划线搭配动词和名词(宾语)

获得	喜悦	给予	承诺
展开	现场	参加	发展
分享	活动	信守	信任
亲临	主办权	促进	晚会

三、指出划线动词的宾语中心词

1. 北京<u>当选</u>为2008年奥运会的举办城市。(　　　)

2. 数以百万计观看直播节目的北京人不约而同地从城市的各个角落<u>发出</u>震天的欢呼声。(　　　)

3. 香港政府高官和数十个体育组织、各政党代表一起<u>参加</u>了在九龙公园室内体育场举行的大型晚会。(　　　)

59

4. 这是所有中国人民感到无比骄傲、无比兴奋的时刻。(　　)

5. 他保证,如果此次奥运会有盈余,将用来成立一个奥林匹克友谊合作基金,帮助发展中国家的体育事业。(　　)

四、选择正确答案

1. 中国第一次申办奥运会是在什么时候?
    1) 四年以前
    2) 八年以前
    3) 十年以前
    4) 课文中没有提到这个问题　　　　　　　　　　　　　　(　　)

2. 在莫斯科,率领北京申奥代表团的中国领导人有哪些?
    1) 中国最高领导人江泽民、朱镕基等
    2) 香港特别行政区长官董建华
    3) 中国副总理李岚清、北京市市长刘淇
    4) 以上答案均不正确　　　　　　　　　　　　　　　　　(　　)

3. 在投票过程中,中国当选的原因可能是什么?
    1) 中国在第一轮投票中获得的票数最多
    2) 中国在第二轮投票中获得的票数仍然最多
    3) 只经过了两轮投票
    4) 中国获得的票数超过了国际奥委会105名成员人数的一半　(　　)

4. 在两轮投票中,一直和中国获得的票数最接近的是哪个城市?
    1) 巴黎
    2) 大阪
    3) 多伦多
    4) 伊斯坦布尔　　　　　　　　　　　　　　　　　　　　(　　)

5. 这篇课文介绍了不同城市的中国人在申办成功以后的活动,在课文里没有提到的城市是:
    1) 莫斯科
    2) 香港
    3) 北京
    4) 上海　　　　　　　　　　　　　　　　　　　　　　　(　　)

国际奥委会委员谈北京申奥成功

东方网7月14日消息：北京昨夜获得2008年奥运会主办权后，新华社记者采访了一些国际奥委会委员。他们纷纷表示，北京的胜利也是奥林匹克运动的胜利，中国作为一个人口大国应该举办奥运会。

澳大利亚籍的国际奥委会副主席高斯帕对记者说，北京肯定会在这场申办大战中胜利，但是他没想到北京会以那么大的优势在第二轮就胜出，毕竟北京的对手多伦多和巴黎都很强。今天无论对于中国还是奥林匹克运动，都是历史性的一天。他说："今夜属于北京。"

来自中国台北的国际奥委会委员吴经国在申办结果宣布后，激动地与祖国大陆的国际奥委会委员何振梁相拥而泣。吴经国对记者说，当时心情特别激动，感触颇多，难以言喻。北京在这次申办中的压倒性胜利是全世界中国人的光荣，他为之深深感到自豪。

美国籍国际奥委会副主席德弗朗茨说，现在北京的任务就是要保证在7年后向世界奉献一届出色的奥运会，这需要做大量细致的工作。相信北京完全有能力兑现自己的承诺，当然国际奥委会也会同时向北京提供帮助。

国际奥委会执委、昔日的"撑杆跳高之王"布勃卡曾在今年2月作为国际奥委会评估团成员前往北京。他相信北京能兑现自己的承诺。他还特别提到了自己在北京期间感受最深的是普通百姓对奥运会的渴望。他说他到一些城市小区时，能强烈感受到普通居民对申办奥运会的巨大支持。(2001-07-14)

生　词

1. 采访	cǎifǎng	（动）	cover, gather news, interview
2. 相拥而泣	xiāng yōng ér qì		embrace each other and cry
3. 感触	gǎnchù	（名）	feeling
4. 言喻	yányù	（动）	explain, say
5. 奉献	fèngxiàn	（动）	offer
6. 兑现	duìxiàn	（动）	cash in(a check, etc.)
7. 撑杆跳高	chēnggān tiàogāo		pole vault
8. 评估	pínggū	（动）	evaluate, evaluating
9. 小区	xiǎoqū	（名）	residential area

判断正误

1. 澳大利亚籍的国际奥委会副主席高斯帕说,他没有想到北京会取得奥运会的主办权。因为北京的对手多伦多和巴黎都很强。(　　)

2. 在申办结果宣布后,与祖国大陆的国际奥委会委员何振梁相拥而泣的是来自中国台北的国际奥委会委员吴经国。(　　)

3. 美国籍国际奥委会副主席德弗朗茨说,现在北京的任务就是要保证在7年后向世界奉献一届出色的奥运会,这需要做大量细致的工作。德弗朗茨为北京感到担心。(　　)

4. 国际奥委会执委、昔日的"撑杆跳高之王"布勃卡曾经在投票之前来过中国。(　　)

申奥成功
金罐可口可乐走俏市场

　　7月13日之夜,对全体中国人来说,是个兴奋的不眠之夜,而对于北京可口可乐饮料有限公司来说,除兴奋外,还是个繁忙之夜。

　　为了庆祝北京申奥成功,可口可乐推出纪念罐。

　　金色和红色在中华文化中代表着喜庆和胜利。这次限量生产的全国3万箱,共72万罐的金罐可口可乐,罐体由金、红两色作为主色调,并巧妙地加入长城、天坛等中国和北京的代表建筑以及各种运动画面,将成功的喜庆、体育的动感、更快更高更强的奥运精神与中国的文化有机地结合起来,而罐下方还不忘用小字标出"自1928年起即为奥运会全球合作伙伴",以告诉顾客可口可乐与奥运的不解之缘。

　　据可口可乐公司王雷介绍,当晚他们都集中在电视机前,当22:09分听到萨马兰奇宣布中国获胜时,大家在进行了必要的庆祝后,全部来到生产线,22：15分启动生产线开始生产金罐可乐,10分钟后举行首批下线仪式。罐装厂外,送货车全在待命,分成五组将生产的金罐可乐送入家乐福等5家超市及全部麦当劳餐厅,一直忙活到凌晨四五点钟。

　　7月14下午,顾客的抢购开始了。大家先抢13日生产的,再抢14日生产的。据了解,到15日,各商场的金罐可乐全部销售完毕。仅以北京为例,在如此短的时间里售出2万箱可口可乐,这在可口可乐的销售史上大概也创下了纪录,剩下的就是可口可乐公司点着钞票,"偷着乐"了。

　　我们的国有企业是不是可以从可口可乐的做法中,学到什么东西呢?(**中国企业报　2001-07-28**)

生　词

1. 走俏	zǒuqiào	(动)	sell well
2. 纪念	jìniàn	(动)	commemorate, mark
3. 限量	xiàn liàng	(动)	set limit to
4. 色调	sèdiào	(名)	tone, hue
5. 喜庆	xǐqìng	(形)	festival
6. 动感	dònggǎn	(名)	sense of movement
7. 不解之缘	bù jiě zhī yuán		an unbreakable bond
8. 生产线	shēngchǎnxiàn	(名)	product line
9. 待命	dàimìng	(动)	await orders, stand-to
10. 忙活	mánghuo	(动)	to be busy with work
11. 抢购	qiǎnggòu	(动)	scare buying
12. 点	diǎn	(动)	count

专有名词

家乐福	Jiālèfú	Carrefour

判断正误

1. 可口可乐纪念罐只是为北京市场生产的。（　　　）

2. 课文中提到，为了表现奥运精神与中国文化的结合，纪念罐使用了金、红两种颜色和天安门的图案。（　　　）

3. 可口可乐与奥运会的关系从1928年就开始了。（　　　）

4. 纪念罐是在中国获得奥运会主办权之后开始生产的。（　　　）

5. 全部纪念罐都是在中国获得奥运会主办权那天生产的。（　　　）

6. 作者认为可口可乐公司的这种做法值得学习。（　　　）

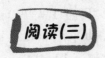

奥运将使北京变成现代化国际大都市

（美国）自由时报美国东部版：新华社报道，中科院牛文元教授表示，申奥成功是经济、社会发展的巨大动力，北京将因此提前建成现代化国际大都市。

中国国家统计局新闻发言人叶震说，申奥成功将带来大规模的投资，这将直接拉动经济的增长。为了成功举办奥运，中国将投巨资兴建体育设施，加强通讯系统建设，扩建机场，建设高速公路，仅北京市用于奥运会的投资就达二千八百亿元人民币。

报道强调，北京奥运会还将促进环境的改善和科技水平的提高，未来五年，北京用于环境治理的投资将达四百五十亿元，使天更蓝、水更清、地更绿；三百亿元用于信息化建设；将完成城区现有九百多万平方米危旧房改造工程，使北京市每人平均住房面积提高到十八平方米。报道指出，"奥运经济"不仅有利于北京，也将带动中国多个地区、多个行业的迅速发展，创造上万个就业机会。今后七年，奥运会平均每年将拉动中国生产总值增长零点三到零点四个百分点。(2001-07-26)

生　词

1. 都市	dūshì	（名）	city
2. 动力	dònglì	（名）	force, impetus, power

3. 新闻发言人	xīnwén fāyánrén		news spokesperson
4. 拉动	lādòng	（动）	pull, drag, haul
5. 危旧房	wēi-jiùfáng		condemned building

 专有名词

中科院	Zhōngkēyuàn	Chinese Academy of Sciences

简要回答:

1. 牛文元教授认为,如果没有奥运会,北京是不可能变成现代化国际大都市的,对吗?

2. 课文认为,"奥运经济"只是有利于北京,对吗?

第8课

中国的计划生育工作

  中国建立了20多个计划生育科学研究机构,开展基础研究。由3000多个妇幼保健机构、17000多个综合医院的计划生育科、33300个计划生育服务站组成的计划生育服务网络遍布城乡,为育龄群众提供生殖健康咨询服务、性健康教育。此外,政府提供1.8亿元资金为740多个贫困县装备了流动服务车,使边远地区育龄人群得到优质的服务。

  从1995年开始,国家计生委在一些城乡地区进行"优质服务"项目的试点并获得成功,目前全国有600多个县开展优质服务。生殖健康优质服务强调避孕为主。鉴于艾滋病和性传播疾病在中国传播趋于增加的严峻形势,中国的计划生育工作者也积极参与艾滋病和性传播疾病的防治及相关的宣传教育。

  妇女平均初婚年龄由1970年的20.8岁增加到1998年22.73岁,1992年妇女平均初育年龄为23.48岁,1998年24.48岁,已婚育龄妇女避孕率达83%;全国妇幼保健机构已从1949年的89个发展到1998年3200个。

  住院分娩率由1985年的43.7%提高到1998年66.8%。孕妇和产妇死亡率从建国初期的1500/10万下降到1997年63.6/10万。

  中国还在计划生育活动中提倡"男性参与计划生育",鼓励男性承担避孕节育的责任,已有2085万男子接受男性绝育手术,占全世界男性接受者的四分之一。

  妇女通过实行计划生育,摆脱了过多生育带来的各种负担,积极参与社会工作和公共事务管理,进一步实现了男女平等。中国女性文盲比例由建国初的90%下降到1998年的23%。女性从业人员数占女性总人数的46.6%,高于世界平均水平的34.5%。妇女就业率的提高使她们在经济上能够独立。在国家机关工作的女性工作人员数占工作人员总数的35%,全国各级计划生育委员会的女性工作人员占51.9%,大约三分之一的省(自治区、直辖市)计生委的主要领导由女性担任。妇女的社会地位得到社会的承认。

生　词

1. 计划生育	jìhuà shēngyù		family planning
2. 妇幼	fù-yòu		women and children
3. 网络	wǎngluò	(名)	network
4. 育龄	yùlíng	(名)	child-bearing age
5. 生殖	shēngzhí	(名)	procreate, procreation
6. 咨询	zīxún	(动)	consultation
7. 试点	shìdiǎn	(名)	experimental unit, make experiments
8. 避孕	bì yùn		contraception
9. 艾滋病	àizībìng	(名)	AIDS
10. 趋于	qūyú	(动)	tend, incline to
11. 严峻	yánjùn	(形)	severe, stern
12. 初婚	chūhūn		first marriage
13. 初育	chūyù		first childbirth
14. 分娩	fēnmiǎn	(动)	childbirth, childbearing
15. 孕妇	yùnfù	(名)	pregnant woman
16. 产妇	chǎnfù	(名)	lying-in woman, woman who has just given birth
17. 节育	jiéyù	(动)	birth control
18. 绝育	jué yù		sterilization
19. 文盲	wénmáng	(名)	illiteracy, illiterate
20. 从业	cóngyè	(动)	to be employed
21. 就业	jiù yè		obtain employment

专有名词

国家计生委	Guójiā Jìshēngwěi
	National Population and Family Planning Commission of China

练　习

一、根据课义划线连接具有相同特点的词语

艾滋病	公共事务管理
初婚	性传播疾病
孕妇	初育
男性	产妇
社会工作	女性

二、连句

1. A）建立了20多个计划生育科学研究机构

　　B）中国

　　C）开展基础研究

　　正确的顺序是（　　　）

2. A）33300个计划生育服务站组成的计划生育服务网络

　　B）为育龄群众提供生殖健康咨询服务、性健康教育

　　C）遍布城乡

　　正确的顺序是（　　　）

3. A）鉴于艾滋病和性传播疾病在中国传播趋于增加的严峻形势

　　B）也积极参与艾滋病和性传播疾病的防治及相关的宣传教育

　　C）中国的计划生育工作者

　　正确的顺序是（　　　）

4. A）中国还在计划生育活动中提倡"男性参与计划生育"

B）已有2085万男子接受男性绝育手术

C）鼓励男性承担避孕节育的责任

正确的顺序是(　　　)

三、指出划线动词的宾语中心词

1. 政府<u>提供</u>1.8亿元资金为740多个贫困县装备了流动服务车。(　　　)

2. 国家计生委在一些城乡地区<u>进行</u>"优质服务"项目的试点并获得成功。(　　　)

3. 中国的计划生育工作者也积极<u>参</u>与艾滋病和性传播疾病的防治及相关的宣传教育。(　　　)

4. 计划生育机构鼓励男性<u>承担</u>避孕节育的责任。(　　　)

四、选择正确答案

1. 中国计划生育服务网络是由哪<u>些</u>部分组成的,指出不正确的一个:

1）计划生育科学研究机构

2）妇幼保健机构

3）综合医院的计划生育科

4）计划生育服务站　　　　　　　　　　　　　　　　　(　　　)

2. 目前全国有600多个县开展生殖健康优质服务,这项服务的主要内容是什么,指出下列四项中不正确的一个:

1）避孕

2）艾滋病的防治及相关的宣传教育

3）性传播疾病的防治及相关的宣传教育

4）实现男女平等　　　　　　　　　　　　　　　　　　(　　　)

3. 1998年,中国妇女平均第一次结婚的年龄是多少?

1）20.8岁

2）22.73岁

3）23.48岁

4）24.48岁　　　　　　　　　　　　　　　　　　　　(　　　)

4. 1998年,中国的住院分娩率达到多少?

1）课文中没有说明

2）43.7%

3）66.8%

4）83%　　　　　　　　　　　　　　　　　　　　（　　）

5. 在中国女性中,从业人员的比例是多少?

1）46.6%

2）35%

3）51.9%

4）大约三分之一　　　　　　　　　　　　　　　（　　）

6. 在全世界,平均来看,女性从业人员数占女性总人数的比例是多少?

1）46.6%

2）34.5%

3）35%

4）51.9%　　　　　　　　　　　　　　　　　　　（　　）

五年少生十万人　烟台人口连续四年零增长

济南时报8月26日讯记者从烟台市计生委获悉,自1999年出现人口负增长以来,烟台市已连续4年人口零增长,5年累计少生9.96万人。人口平均预期寿命由上世纪80年代的69.95岁(男)和76.22岁(女)上升到2000年的72.3岁和77.42岁。

为保证计生国策顺利实施,在全市人口保持零增长的同时,烟台市计生部门强调,相关政策一定要落实。如独生子女父母在机关事业单位退休的,加发5%的工资;企业退休人员一次性加发上年度平均工资30%的养老补助。对农村独生子女家庭,在子女年满14周岁时给予一次性奖励。(2002-8-26)

印度人口2050年世界第一

(华盛顿综合电)一份关于世界人口的报告说,到了2050年,世界第一人口大国将是印度,达16亿;中国人口将退到第二位,达14亿。

世界人口到本世纪中期将增加45%,达到93亿。亚洲将继续成为人口最多的大陆,在2050年达到近54亿。

不过,日本的人口在未来45年里会减少21%,从1亿2760万减少到1亿;俄罗斯、德国和意大利的人口总数也会下降。

美国是发达国家中最大的例外,到2050年时预计人口会增长43%,从现在的2亿9300万增加到4亿2000万。

阿富汗和伊拉克两个经历战乱的国家将出现人口膨胀,前者几乎增加两倍,从2850万上升到8190万;后者将增加一倍多,从2590万增至5790万。

世界人口的增加主要还是在发展中国家,尽管这些国家的艾滋病感染率、发病率和婴儿死亡率都比较高。预计到了2050年,生活在发展中国家的人口将达到80亿,比现在增加50%,其中南亚和非洲增长最快。

中国现有13亿人,是世界人口最多的国家。到2050年时,中国的总人口将增加10%,超过14亿。不过预计会在2025年达到人口高峰,然后开始下降。

到2050年时,印度的人口预计会超过中国,从现在的不到11亿增加到16亿,几乎增长50%;尼日利亚的人口可能会增加将近两倍,达到3亿7000万,而孟加拉国的人口会翻一番,达到2亿8000万。(2004-08-19)

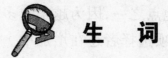

生 词

1. 战乱　　zhànluàn　　（名）　　chaos caused by war
2. 膨胀　　péngzhàng　　（动）　　expand, swell
3. 感染　　gǎnrǎn　　（动）　　infect, communicate

专有名词

1. 阿富汗　　Āfùhàn　　Afghanistan
2. 伊拉克　　Yīlākè　　Iraq
3. 尼日利亚　　Nírìlìyà　　Nigeria
4. 孟加拉国　　Mèngjiālāguó　　Bengal

判断正误

1. 到2050年,世界人口最多的两个国家将是印度和中国。（　　）

2. 到2050年,亚洲将继续成为人口最多的大陆,人口将超过世界人口的一半。（　　）

3. 但是在未来的45年里,发达国家的人口将下降。（　　）

4. 阿富汗和伊拉克这两个国家,由于战争的关系,人口将大量减少。（　　）

5. 中国人口将在2050年达到高峰,超过14亿。（　　）

中国已经成为新加坡华人理想的养老地

福建侨报据新加坡英文《海峡时报》报道,中国已经成为新加坡中产

73

阶级退休后选择的定居地点之一,因为越来越多的新加坡人退休后到中国居住,而考虑作出这项选择者还在增加中。

报道说,中国丰富的文化生活、快速发展的经济和较低的生活费用,都是新加坡人作出这项选择的原因。

选择到中国过退休生活的新加坡人,包括前银行职员、商人、专业人士和公务员等。目前约有两万名新加坡人在中国工作、读书或定居。

这些人当中有些是中国开放后到中国经商的企业家,他们已经习惯了中国的生活方式。对新加坡的华人来说,他们选择中国作为"退休天堂"还有其他原因,包括：对中国比较有亲切感；由于外表一样,通晓华语,有共同语言,容易融入当地社会。

中国驻新加坡大使馆一名职员表示,要到中国过退休生活,必须证明他在中国有容身处,有能力维持自己的生活。否则,他们必须证明在中国有亲戚,能在他们年老或生病时,维持他们的生计。（2004-07-05）

生　词

1. 中产阶级	zhōngchǎn jiējí		middle class
2. 职员	zhíyuán	（名）	staffmember, office clerk
3. 容身	róngshēn	（动）	inhabit, take shelter
4. 亲戚	qīnqì	（名）	relative
5. 生计	shēngjì	（名）	livelihood

判断正误

1. 介绍以上这些情况的是一份外国报纸。（　　　）

2. 所有的新加坡人都把中国当做退休以后的居住地之一。（　　　）

3. 目前,生活在中国的退休的新加坡人有20000名左右。（　　　）

4. 目前生活在中国的两万名新加坡人当中,有些人已经在中国工作过。（　　　）

5. 新加坡驻中国大使馆的职员表示,新加坡人要在退休以后去中国生活,必须证明他有能力维持自己的生活,或者在中国有亲戚照顾他的生活。( )

阅读(三)

顺义区32个村独生子女父母提前五年领取养老金

独生子女父母可以提前5年享受养老金,这是日前北京市顺义区爆出的一条新闻。

在顺义区,独生子女父母男年满55周岁、女年满50周岁便可开始享受每人每月140元的养老金,并逐年递增20元。这样,独生子女家庭夫妇俩可比其他农户五年内多得到21600元,从经济上直接体现了实行了计划生育的优越性。

据区计生委负责人介绍,目前,全区已有32个村实行此类办法,年底可达到60个村。

顺义区自1990年开始探索建立计划生育社会养老保险制度。一方面,创办农村独生子女父母养老基金会,建立发放养老保障金制度,使农村独生子女父母加入社会养老保险等。另一方面,各级政府积极扶持计生家庭脱贫致富,使广大计生家庭尝到了实行计划生育的甜头,增强了实行计划生育的自觉性。

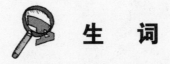

生 词

1. 养老金	yǎnglǎojīn	(名)	retirement pension
2. 递增	dìzēng	(动)	increase by degrees
3. 保险	bǎoxiǎn	(名)	insurance

4. 扶持	fúchí	(动)	support
5. 脱贫致富	tuōpín zhìfù		quit poverty and become rich
6. 甜头	tiántou	(名)	benefit
7. 自觉性	zìjuéxìng	(名)	consciousness, self-knowledge

简要回答:

1. 在顺义区,独生子女父母在领取养老金方面有什么不同?

2. 目前,在顺义区,是否已经全部实现了这种发放养老金的新办法?

方便面大赢家：康师傅

（台北综合讯）中国是方便面最大消费国，去年共消费掉277亿包的方便面。由台资企业生产的康师傅方便面是最大赢家，由于在中国内地占据市场巨大份额，估计去年全球每卖出7包方便面，就有一包是"康师傅"。

据台湾《经济日报》报道，市场估计，今年康师傅方便面销量将首度突破100亿包，去年销售量约在88亿包左右。为了满足不断扩大的市场需求，康师傅计划扩充现有的119条方便面生产线。

另据中新社报道，去年全球共消费掉652亿2000万包的方便面，其中中国内地就占了277亿包，消费量居世界第一，每人每年约吃掉21包方便面。

中国内地庞大的消费市场，使康师傅与"统一"获益最大，两者合计占有全球方便面20%的市场，占有中国内地近50%市场。根据AC尼尔森公司今年第一季度的调查，康师傅与统一在中国内地方便面市场占有率分别居第一和第二。就销量来看，康师傅方便面市场占有率高达32%，中国内地每卖出3包方便面，就有1包是康师傅所生产。

其次是统一牌方便面，也有近14%的市场占有率；排名第三的是河北品牌华龙方便面，市场占有率约近12%。若依据销售金额来看，康师傅市场占有率为43.2%，统一与华龙分别为16%及10.3%。

康师傅控股公司负责人林清棠表示，中国作为方便面最大消费国，每年的消费量仍持续以10%的速度增长，而且这样的增长速度至少可维持二三十年。目前康师傅方便面生产线共有119条，一条生产线一年可生产1亿包。

由于看好方便面市场,华龙拟扩大市场占有率,4月底宣布与日本日清食品公司成立合资公司。

康师傅自1992年在中国内地推出首包方便面以来,为适应不同地区民众,不断推出新的口味。如西安工厂专门生产供穆斯林食用的清真方便面,在重庆工厂生产供西南地区民众食用的辣味牛肉面等,是康师傅能够深入中国内地市场的主要原因。

林清棠指出,包括康师傅与统一等外资品牌的方便面,大多瞄准中高档方便面市场,这也是获益较高的领域。但是为了提高销量,康师傅将会评估、扩大低档方便面市场,迎战当地方便面品牌。(新加坡《**联合早报**》2004-07-22)(编辑:**杨萌**)

生　词

1. 方便面	fāngbiànmiàn	(名)	instant noodle
2. 份额	fèn'é	(名)	lot, share
3. 首度	shǒudù		first
4. 扩充	kuòchōng	(动)	extend, expand
5. 庞大	pángdà	(形)	giant, huge
6. 获益	huòyì	(动)	profit
7. 控股公司	kònggǔ gōngsī		holding company
8. 负责人	fùzérén		principal
9. 看好	kànhǎo	(动)	have a good prospect, anticipate improvement
10. 拟	nǐ	(动)	intend, plan
11. 穆斯林	mùsīlín	(名)	Muslem
12. 清真	qīngzhēn	(形)	kosher, Muslim
13. 中高档	zhōng-gāodàng		medium and high grades
14. 迎战	yíngzhàn	(动)	meet the enemy head-on

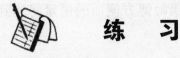

练 习

一、根据课文划线连接具有相同特点的词语

32%	652亿2000万包
华龙	统一
康师傅	43.2%
277亿包	辣味牛肉面
清真方便面	日本日清食品公司

二、划线搭配动词和名词（宾语）

消费	口味
扩充	市场
看好	生产线
推出	方便面

三、指出划线动词的宾语中心词

1. 为了<u>满足</u>不断扩大的市场需求，康师傅计划扩充现有的119条方便面生产线。（　　　）

2. 两者合计<u>占有</u>全球方便面20%的市场，占有中国内地近50%的市场。（　　　）

3. 华龙拟<u>扩大</u>市场占有率。（　　　）

4. 如西安工厂专门<u>生产</u>供穆斯林食用的清真方便面。（　　　）

5. 但是为了提高销量，康师傅将会<u>评估</u>、扩大低档方便面市场，迎战当地方便面品牌。（　　　）

四、选择正确答案

1. 由于中国是方便面最大消费国，而康师傅占据中国市场巨大份额，所以康师傅的销量大概占全世界的：

　　1）七分之一

　　2）20%

　　3）三分之一

　　4）50% 　　　　　　　　　　　　　　　　　　　　　（　　　）

2. 根据市场估计,今年康师傅方便面的销量将达到多少?

　　1) 大约88亿包

　　2) 超过100亿包

　　3) 119亿包

　　4) 277亿包　　　　　　　　　　　　　　　　　　（　　　）

3. 和康师傅方便面比较,华龙方便面的特点是什么?

　　1) 销量在中国市场的前三名之内

　　2) 销售金额在中国市场的前三名之内

　　3) 是中国内地品牌

　　4) 是中国台湾品牌　　　　　　　　　　　　　　（　　　）

4. 对未来二三十年的中国方便面市场,康师傅公司负责人的看法是什么?

　　1) 还不是很清楚,但是二三十年以后的市场应该比现在更大

　　2) 不是很稳定,在二三十年的时间里,有时上升10%,有时会下降10%

　　3) 在未来的二三十年的时间里一共增长10%左右

　　4) 在未来的二三十年的时间里,每年增长10%　　　（　　　）

5. 由于看好方便面市场,有的企业已经和外国公司成立了合资公司,希望进一步扩大市场。采取这种做法的企业是哪一个?

　　1) 康师傅

　　2) 统一

　　3) 华龙

　　4) 包括以上三者　　　　　　　　　　　　　　　（　　　）

6. 康师傅能够在中国内地市场受到欢迎的主要原因是什么?

　　1) 来自台湾

　　2) 生产了清真方便面

　　3) 生产了辣味牛肉面

　　4) 不断努力,推出新的口味的产品　　　　　　　（　　　）

1/4市民有手机

http://www.sina.com.cn 2004年06月21日02:42 **重庆晚报**

　　本报讯：市民持有手机的人越来越多，昨天，来自电信的1~5月运营统计显示，移动电话普及率为24.8户/百人，比去年年底提高4.9%，相当于1/4市民持有手机。

　　1~5月，我市电信业务收入完成37.6亿元，同比增长26.1%。其中，固定电话、移动电话等持续高速增长。固定电话用户新增51,1万户，累计达到584.5万户，同比增长29.0%。其中：城市电话用户380.3万户，乡村电话用户204.2万户，城乡差距进一步缩小。

　　移动用户新增68.2万户，累计达到687.6万，同比增长42.5%。

　　（记者　**万里**　实习生　**任冬梅**）网络编辑：**王敏**

中国电话用户达6亿

　　（北京讯）中国信息产业部昨天发布最新的统计数据显示，上半年中国通信业发展形势良好，同比增长13%，全国电话用户总数达到了6亿。

　　上半年，通信业务完成收入2816亿元人民币，增长13%，略高于去年全年的增长速度。在通信收入中，电信业务收入2536亿元人民币，增长13.8%。

电话新增用户数继续快速增长,固定电话新增近3300万户,总计达2亿9500万户,手机新增3500万户,总数达3亿零500万户,中国电话用户总数达到了6亿户。

电话普及率也处于增长之中,固定电话和手机普及率都超过了23.7%,通电话的行政村比重达到了89.9%。但是,农村电话普及率仍处于较低水平。

上半年,手机短信和互联网宽带业务都是增长较快的业务。短信业务增长了71%,达到近1000亿条,宽带接入用户新增658万户,总数达到了1700多万户。

此外,上半年通信业固定资产投资达886亿元人民币,同比增长12.9%,主要用于网络扩容、企业网络建设等。(2004-07-23)

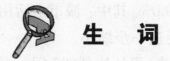 生 词

1. 固定电话	gùdìng diànhuà		fixed telephone
2. 普及	pǔjí	(动)	popularization
3. 行政村	xíngzhèng cūn		administrative village
4. 手机短信	shǒujī duǎnxìn		SMS
5. 互联网	hùliánwǎng	(名)	internet, WWW
6. 宽带	kuāndài	(名)	broadband
7. 扩容	kuò róng		extend

判断正误

1. 上半年中国通信业发展形势良好,通信业务完成收入2816亿元人民币,增长13%,略高于去年全年的收入。(   )

2. 在中国,手机的增长速度和数量已经超过固定电话的增长速度和数量。(   )

3. 使用手机的人占中国人口的23.7%以上,使用固定电话的人还没有达到

这个比例。（　　　）

4. 今年上半年，中国人发送的短信接近1000亿条，比去年同时期增长了71%。（　　　）

韩国持手机人数超过3500万

（首尔讯）韩国信息通讯部公布的一项上半年统计显示，韩国持有手机的人数已经超过3500万，占总人口的75%，其中16岁至19岁学生中拥有手机的比例超过了80%。但是，手机的日益普及也给学生的身心健康带来了一系列问题。

首尔大学附属医院日前在一所高中进行调查时发现，这所学校高中一年级的340名学生中，有276人持有手机。在被问及忘带手机时这些学生的心理感受时，有80人回答"忘带手机时心里会感到不安"。首尔大学附属医院的研究人员认为，韩国有近三成学生患有这种"手机中毒症"。

"手机中毒症"的主要表现是，学生对手机产生强烈的依赖心理，如果长时间没有听到电话铃声，就会焦躁不安，无法集中注意力听课，严重时还可能出现头痛等症状。

一名女生说，有一天上学她忘记带手机了，结果一整天都魂不守舍，根本无法集中精力听课。

调查显示，韩国学生利用手机进行的活动依次为：发短信(71.7%)、通话(10.5%)、玩游戏(6.1%)和照相(3.2%)等。其中30.8%的学生每天发送30条以上的手机短信。

由于长时间用手机发短信或玩游戏，有一成以上的学生出现过肩膀和手腕疼痛的症状。

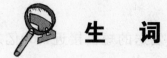

生 词

1. 中毒	zhòngdú	(动)	drug poisoning
2. 依赖	yīlài	(动)	depend on
3. 焦躁	jiāozào	(形)	fretful, impatient
4. 魂不守舍	hún bù shǒu shè		to be scared out of one's wits
5. 肩膀	jiānbǎng	(名)	shoulder
6. 手腕	shǒuwàn	(名)	wrist

判断正误

1. 在韩国,手机在16至19岁学生中的普及率高于全国的普及率。(   )

2. 首尔大学附属医院的研究人员认为,韩国有接近3%的学生患有"手机中毒症"。(   )

3. "手机中毒症"的主要表现是肩膀和手腕疼痛。(   )

4. 调查显示,韩国学生使用手机主要是为发送短信。(   )

珠宝首饰将成为消费热点

有关部门表示,珠宝首饰的消费将成为我国继住房、汽车后的第三大消费热点。据统计,中国珠宝首饰行业在2001年国内总销售额超过800亿元,出口达25.3亿美元。其中,首饰黄金用量居世界第四位,铂金首饰销量达130万盎司,钻石首饰全球市场占有量从0.5%上升到1.8%,年销售总件数突破100万件。各种红蓝宝石、珍珠、翡翠等首饰年总销售额超过200亿元。

随着生活水平不断提高，按照前20年发展的趋势推算，2010年中国珠宝首饰有希望增加到近两千亿元的产销值，其中出口部分会有很大增加。（小何）（**深圳晚报** 2004-03-26）

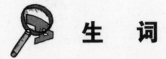 # 生　词

1. 珠宝首饰	zhūbǎo shǒushì		bijouterie，pearls and jewelry
2. 铂金	bójīn	（名）	platinum
3. 盎司	àngsī	（量）	ounce
4. 红蓝宝石	hóng-lán bǎoshí		ruby and sapphire
5. 珍珠	zhēnzhū	（名）	pearl
6. 翡翠	fěicuì	（名）	jade

简要回答：

1. 课文中提到的三大消费热点是哪些？

2. 从现在开始到2010年，中国珠宝首饰市场将缩小、稳定还是扩大？

第 10 课

20 载收获100金 法新社预言 中国将在雅典改写历史

新浪体育讯　角逐奥运20载,收获金牌100块。今天,法新社发表评论,认为在夺得里程碑式的第100枚夏季奥运会金牌之后,中国代表团很有希望超过上届奥运会收获28枚金牌的成绩,甚至有可能超越俄罗斯坐上世界体坛的第二把交椅。以下是法新社评论的部分内容。

在1984年首次参加奥运会时,中国代表团以15枚金牌取得开门红,但那是一届受到前苏联和东欧国家抵制的奥运会,因此中国队的成绩并不算出色。四年后的汉城奥运会,中国仅仅获得5枚金牌,可以说跌到了谷底。不过从1992年的巴塞罗那奥运会开始,中国的力量开始展示出来,收获16枚金牌,占据金牌榜的第四位。在亚特兰大,中国又以相同的成绩重演了巴塞罗那的辉煌。

2000年的悉尼奥运会,中国掀起夺金高潮,一举以28枚金牌抢占金牌榜的第三位,直接威胁俄罗斯第二的位置。不过在悉尼取得空前成功后,中国人却依然保持了低调。本届奥运会开幕前,代表团提出的目标是夺取20枚金牌,并且派出了大量年轻选手出征雅典,为2008年在中国举行的北京奥运会练兵。

但是中国人设定的目标显然过于谨慎了,仅仅到了第九个比赛日,中国就拿到了20枚金牌,而此时,中国的主要竞争对手俄罗斯队的表现又如何呢? 他们只拿到了7枚金牌,这个昔日的体育大国远远落后,仅列金牌榜的第六位。奥运会比赛还有一周,中国队在前半程的表现已经证明了他们很有希望超过上届悉尼奥运会28枚金牌的历史最好成绩,他们甚至有可能抵挡住俄罗斯队在后半程的奋力追赶,从而坐上雅典奥运会金牌榜的第二把交椅。

为中国队夺得夏季奥运会第100枚金牌的是乒乓球女单选手张怡宁,她在决赛中以4:0横扫朝鲜的金香美。(EDMOND)(http://sports.sina.com.cn 2004年08月22日 23:29 新浪体育)

生　词

1. 预言	yùyán	(动)	predict, prophesize
2. 角逐	juézhú	(动)	contend for, compete for
3. 里程碑	lǐchéngbēi	(名)	milestone, landmark
4. 交椅	jiāoyǐ	(名)	position, post
5. 开门红	kāiménhóng		get off to a good start
6. 谷底	gǔdǐ	(名)	low point, valley
7. 辉煌	huīhuáng	(形)	refulgence, resplendence
8. 高潮	gāocháo	(名)	high tide
9. 威胁	wēixié	(动)	threaten
10. 低调	dīdiào	(形)	low-pitched
11. 出征	chūzhēng	(动)	go out for a battle
12. 谨慎	jǐnshèn	(形)	cautious, prudent
13. 昔日	xīrì	(名)	in former days
14. 女单	nǚdān	(名)	women's singles
15. 横扫	héngsǎo	(动)	sweep anything away

专有名词

1. 法新社	Fǎxīnshè	AFP, Agence France-Presse
2. 雅典	Yǎdiǎn	Athens

3. 新浪　　　　　　　Xīnlàng　　　　　　sina.com

4. 苏联　　　　　　　Sūlián　　　　　　　Soviet Union，U.S.S.R.

5. 巴塞罗那　　　　　Bāsàiluónà　　　　　Barcelona

6. 亚特兰大　　　　　Yàtèlándà　　　　　Atlanta

7. 悉尼　　　　　　　Xīní　　　　　　　　Sydney

练　习

一、根据课文划线连接具有相同特点的词语

1984	金香美
低调	高潮
辉煌	2004
空前成功	谨慎
张怡宁	历史最好成绩

二、划线搭配动词和名词（宾语）

超越	低调
取得	俄罗斯
掀起	高潮
保持	开门红

三、连句

1. A）中国代表团很有希望超过上届奥运会收获28枚金牌的成绩

　　B）甚至有可能超越俄罗斯坐上世界体坛的第二把交椅

　　C）法新社发表评论，认为在夺得里程碑式的第100枚夏季奥运会金牌之后

　　正确的顺序是（　　　）

2. A）在1984年首次参加奥运会时，中国代表团以15枚金牌取得开门红

B）因此中国队的成绩并不算出色

C）但那是一届受到前苏联和东欧国家抵制的奥运会

正确的顺序是（　　　　）

3. A）中国仅仅获得5枚金牌

B）四年后的汉城奥运会

C）可以说跌到了谷底

正确的顺序是（　　　　）

4. A）代表团提出的目标是夺取20枚金牌

B）本届奥运会开幕前

C）并且派出了大量年轻选手出征雅典

正确的顺序是（　　　　）

四、选择正确答案

1. 在1984年首次参加奥运会时，中国代表团以15枚金牌取得开门红。意思是：

1）1984年，中国第一次参加奥运会，就取得了15枚金牌的好成绩

2）1984年，中国第一次参加奥运会，第一天就取得了15枚金牌

3）1984年，中国第一次参加奥运会，成绩很好，大家没有想到

4）1984年，中国第一次参加奥运会，成绩不错，大家在门口放了一些红色的东西表示高兴 　　　　（　　　　）

2. 1984年奥运会和中国以后参加的奥运会有什么不同？

1）中国为比赛做了充分的准备

2）前苏联和东欧国家没有参加这次奥运会

3）中国是这次奥运会上成绩最好的国家

4）前苏联和东欧国家不满意他们的成绩 　　　　（　　　　）

3. 自中国参加夏季奥运会以来成绩最差的一次是：

1）汉城奥运会

2）巴塞罗那奥运会

3）亚特兰大奥运会

4）悉尼奥运会 　　　　（　　　　）

4. 在亚特兰大奥运会上，中国获得了多少块金牌？

1）5块

2）15块

3）16块

4）28块　　　　　　　　　　　　　　　　　　　　（　　）

5. 作者认为中国在本届奥运会上的最好成绩可能是：

1）20块金牌

2）28块金牌

3）和俄罗斯一样

4）金牌榜第二位　　　　　　　　　　　　　　　（　　）

欧美媒体赞刘翔闪电般称霸

新浪体育讯　在奥运会男子110米栏决赛中，中国选手刘翔获得了冠军并追平了世界记录，赛后国外媒体对刘翔给予了非常高的评价。

法国《队报》网站的文章称法国选手杜库雷在比赛中运气非常不好，他在奔跑中被绊了一下，结果眼看着希望很快就飞走了，刘翔以不可思议的速度统治了赛场。这名21岁的中国人跑的几乎比炮弹还快，他平了12.91秒的世界记录，也给中国赢得了第一块田径金牌。夺冠热门美国人阿兰·约翰逊在第二轮被淘汰，不过刘翔依然打破了他在1996年亚特兰大奥运会上创造的12.95秒的奥运会记录。（http://sports.sina.com.cn 2004年08月28日 04:26 新浪体育）

中国女排夺冠

新浪体育讯(法新社雅典8月28日电) 周六晚上,中国队在先失两局的不利局面下连扳三局,在马拉松式的雅典奥运会女排决赛中战胜俄罗斯队夺得冠军,这也是中国女排第二次登上奥运会最高领奖台。

五局的比分是28:30、25:27、25:20、25:23和15:12。中国队在前两局共错失了四个局点,在第四局中,她们也曾以21比23落后,距离失利一度只有两分。但是中国女排的姑娘们鼓起勇气,顶住了俄罗斯队的进攻。在第四局以21比23落后的危难时刻,中国队连得四分,将大比分扳为2比2平。在决胜的第五局中,中国队控制了大局。22岁的张萍是实力均衡的中国队表现最突出的选手之一,身高1米87的张萍在这场比赛中拿下25分,是中国队得分最高的选手。相形之下,俄罗斯主要依靠她们两位主攻手加莫娃和索科洛娃的表现,俄罗斯队在比赛中共得到112分,她们俩的得分在其中占了一半。(**宏生**)(http://sports.sina.com.cn 2004年08月29日 06:28 新浪体育)

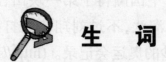 **生 词**

1. 局点	júdiǎn	(名)	game point
2. 失利	shī lì		be defeated, to lose(a war etc.)
3. 危难	wēinàn	(形)	danger
4. 主攻手	zhǔgōngshǒu	(名)	spiker

专有名词

| 马拉松 | Mǎlāsōng | Marathon |

判断正误

1. 这次比赛是和马拉松比赛同时举行的。（　　　）
2. 这是中国女排第二次获得奥运会冠军。（　　　）
3. 从比分来看,前四局当中争夺最激烈的是第一局。（　　　）
4. 对俄罗斯女排来说,最接近胜利的时候是第四局。（　　　）
5. 俄罗斯女排的特点是全体队员实力均衡,中国队主要依靠张萍。（　　）

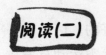

阅读（二）

日本奥委会发放巨额奖金

新浪体育讯　在本届雅典奥运会上,日本代表团发挥出色,奖牌数居历届最多。据日本《每日新闻》8月28日的报道,日本奥委会发放的奖金截止到28日已经达到了1亿5300万日元,首次突破一亿日元。

日本奥委会是从1992年的巴塞罗那奥运会开始发放奖金的。金牌获得者奖励300万日元,银牌200万日元,铜牌100万日元,团体项目的各个选手也人人有份。此前的2000年悉尼奥运会的奖金预算为1亿4000万日元,最后发放了8500万日元。这次则准备了约为上回两倍的2亿6600万日元,以确保奖金足额发放。

虽然各个媒体最近都在宣传奖金,但日本一位著名的体育记者谷口源太郎日前却对此发表了自己的看法,"这种只是面向一部分优秀参赛选手的奖金,并不能对整个日本体育运动水平的提高有多大的帮助。我

们应该转而考虑面向2008年北京奥运会,适当拓宽奖励的范围。"(老倪)

(http://sports.sina.com.cn 2004年08月29日 02:04 新浪体育)

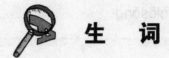

生　词

1. 发放　　　fāfàng　　　(动)　　provide
2. 奖金　　　jiǎngjīn　　 (名)　　prize
3. 奖励　　　jiǎnglì　　　(动)　　encouragement
4. 确保　　　quèbǎo　　　(动)　　insure
5. 足额　　　zú'é　　　　(形)　　adequately

判断正误

1. 日本在本届奥运会上的成绩是他们参加奥运会以来最好的。(　　)

2. 从日本参加第一届奥运会到现在,日本奥委会一直向优秀运动员发放奖金。(　　)

3. 在2000年悉尼奥运会上,日本运动员的成绩非常好,超过了大家的想像。日本奥委会准备的奖金远远不够。(　　)

4. 日本体育记者谷口源太郎认为,2008年北京奥运会的时候,发给优秀参赛选手的奖金应该比现在更多一些。(　　)

涅莫夫征服观众

新浪体育讯　北京时间8月23日,在男子体操单杠比赛中,出现了令人震惊而感动的一幕。28岁的俄罗斯老将涅莫夫第三个出场,他完成了

6个高难动作,非常精彩,他征服了观众。但是裁判只给了他9.725分!

回到休息处的涅莫夫沉默不语,脸上不带任何表情。现场的俄罗斯观众首先表示了对裁判的不满,他们开始挥舞俄罗斯国旗,对裁判发出阵阵的嘘声。

观众席上的热情被点燃了,各国观众共同发出了嘘声,本来应该上场的美国选手只能站立在原地,无法开始比赛。

面对着如此感人的场面,涅莫夫冰山般的面容也开始融化,他露出了成熟的微笑,边向着观众鼓掌,边站立起来深深地鞠躬,感谢观众对自己的热爱和支持。涅莫夫的大度反而进一步激发了观众的不满,嘘声更响了,很多观众甚至伸出双手,向裁判做出不文明的动作。不同国家的观众这个时候站在了一起,俄罗斯的、意大利的、巴西的……不同的旗帜飞舞着。

在如此巨大的压力下,裁判终于被迫重新打分,这一次涅莫夫得到了9.762分。裁判的退让根本不能平息观众的不满。

这时,涅莫夫显示出了他的宽广胸怀。他重新回到场地上和心爱的单杠边。他先是举起强壮的右臂表示感谢观众的支持,接着伸出右手食指做出安静的手势,最后他双手下压,要求观众们保持冷静,给美国选手一个安静的比赛环境。

观众理解了涅莫夫的心情,他们渐渐安静了。比赛至此停顿了将近10分钟,虽然嘘声平静了,但是我们的心不能平静,观众对体操的理解、对公平的呼唤、对涅莫夫的胸怀……都长留在我们脑海中。**(牧木)** (http: //sports.sina.com.cn 2004年08月24日 04:36 新浪体育)

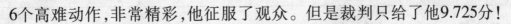

生　词

1. 征服	zhēngfú	(动)	conquer
2. 体操	tǐcāo	(名)	gym, gymnastics
3. 单杠	dāngàng	(名)	horizontal bar
4. 裁判	cáipàn	(名)	judge, referee

5. 表情	biǎoqíng	(名)	expression, face
6. 挥舞	huīwǔ	(动)	shake, wave
7. 嘘声	xūshēng	(名)	catcall, hushing sound
8. 冰山	bīngshān	(名)	iceberg
9. 融化	rónghuà	(动)	melt, thaw
10. 鞠躬	jū gōng		bow
11. 大度	dàdù	(形)	magnanimous
12. 胸怀	xiōnghuái	(名)	bosom, breast
13. 心爱	xīn'ài	(形)	beloved
14. 食指	shízhǐ	(名)	first finger
15. 手势	shǒushì	(名)	gesture, sign

简要回答：

1. 为什么各国观众共同发出嘘声？

2. 面对这样的场面，涅莫夫的态度和做法是什么？

第 11 课

进城打工

德国《金融时报》7月27日报道,题:青年逃离乡村。

21岁的胡彩霞已经有了不少收获。这位年轻的湖南姑娘跑了2000多公里找工作。现在她在北京一家湘菜馆已经小有成就。她手下有33名服务员,其中不少比她年长。

胡彩霞是中国1亿多离开家乡到大城市工作的"民工"的一分子。胡彩霞还有一个25岁的哥哥,他在海南找到了工作。自从胡彩霞的父亲在一起拖拉机事故中失去了劳动能力后,父母在经济上就要依靠这兄妹二人了。并非只有他们如此。据估计,民工给家乡的汇款占农村收入的40%以上。

当胡彩霞16岁第一次离开家乡时,她的目的地是40公里外的湘潭。她在湘潭大街上卖水果,每月挣180元。她的下一站是广州。她干了一年缝合旅行包的活,月薪500元。

胡彩霞从前是个好学生。"老师喜欢我,夸我聪明。"但小学毕业后,她父亲认为子女继续上学带给家庭的负担太重。今天,胡彩霞在北京亲眼看到大学生们无忧无虑的日子。她说,"有时这让我非常伤心。"

胡彩霞在这家餐馆每月挣800元,和父亲种一年地的收入差不多。为挣钱,她工作得很辛苦:每天11个小时,每月休息两天。不过,胡彩霞觉得心满意足。她的老板可靠,这是关键。

25岁的罗亮是胡彩霞的同乡,她可没有这么幸运。她曾在广东、上海这样的城市做过清洁工和工人。可她总是没干几个月就回家了。"头一个月还能拿到讲好的工钱",她说,"第二、三个月老板就扣掉了一部分,到第四个月就不值得干下去了。"去年10月,温家宝总理许诺要求雇主付清拖欠的工资。但这难以实现：没有几个民工能拿出正式的劳动合同。

中央政府试图让这些流动民工步入正轨，放松了曾禁止农民迁居到城里的户口登记制度。今天，各地政府积极开展职业介绍工作。长沙市政府不久前与荷兰的飞利浦公司签署了一份合同，2.4万湖南农民将作为劳动力被介绍到上海工作。湖南这样的内地省份希望通过廉价的土地和劳动力把投资者吸引到内地。

乡亲们指望着像胡彩霞这样的还打算回来的人。"一个姑娘可不能总待在外面，"胡彩霞说。她已经考虑回家乡后如何让种水稻的农民摆脱贫困。她说："最好我能建起一座养猪场。"（《参考消息》2004-08-08）

生 词

1.	民工	míngōng	(名)	peasant worker
2.	拖拉机	tuōlājī	(名)	tractor
3.	事故	shìgù	(名)	accident
4.	汇款	huìkuǎn	(名)	remit money, remittance
5.	缝合	fénghé	(动)	sew, sew up
6.	月薪	yuèxīn	(名)	monthly pay
7.	夸	kuā	(动)	praise
8.	无忧无虑	wú yōu wú lǜ		carefree, without worries
9.	许诺	xǔnuò	(动)	promises
10.	雇主	gùzhǔ	(名)	employer
11.	付清	fùqīng		pay in full
12.	拖欠	tuōqiàn	(动)	default, fall behind, be in arrears
13.	试图	shìtú	(动)	try
14.	步入	bùrù	(动)	step in, walk into
15.	迁居	qiānjū	(动)	change one's address, move

16. 户口	hùkǒu	(名)	registered permanent residence
17. 内地	nèidì	(名)	backland, upcountry
18. 廉价	liánjià	(形)	cheap
19. 指望	zhǐwàng	(动)	expect, count on
20. 水稻	shuǐdào	(名)	paddy
21. 摆脱	bǎituō	(动)	break away from, get rid of

专有名词

1. 湘	Xiāng	abbreviation for Hunan Province
2. 海南	Hǎinán	Hainan Province
3. 湘潭	Xiāngtán	Xiangtan, a city in Hunan Province
4. 长沙市	Chángshā Shì	Changsha, a city in Hunan Province
5. 飞利浦公司	Fēilìpǔ Gōngsī	Philips Corporation

练 习

一、根据课文划线连接具有相同特点的词语

卖水果	劳动力
工钱	中央政府
温家宝总理	工资
职业介绍	缝合旅行包

二、划线搭配动词和名词(宾语)

失去   合同

签署   能力

摆脱   水稻

种   贫困

三、指出划线动词的宾语中心词

1. 胡彩霞<u>是</u>中国1亿多离开家乡到大城市工作的"民工"的一分子。(　　)
2. 她<u>干</u>了一年缝合旅行包的活,月薪500元。(　　)
3. 胡彩霞在北京亲眼<u>看</u>到大学生们无忧无虑的日子。(　　)
4. 政府<u>放松</u>了曾禁止农民迁居到城里的户口登记制度。(　　)
5. 各地政府积极<u>开展</u>职业介绍工作。(　　)

四、选择正确答案

1. 胡彩霞在北京的一家湘菜馆工作,在这里:
   1）她的年龄最小
   2）家乡最远
   3）管理着33名服务员
   4）工作很轻松   (　　)
2. 从课文中可以看出,胡彩霞先后做过几种不同的工作,请指出课文中没有提到的一种:
   1）卖水果
   2）缝合旅行包
   3）在湘菜馆工作
   4）做清洁工   (　　)
3. 25岁的罗亮是胡彩霞的同乡,她可没有这么幸运。在这里,"幸运"的人是指:
   1）胡彩霞
   2）罗亮
   3）罗亮的老板
   4）温家宝总理   (　　)
4. 罗亮对自己的工作不满意的原因是什么?

1）工作的地方离家乡很远

2）没有和胡彩霞在一起

3）不喜欢自己找到的工作

4）老板常常不给她工资 （ ）

5.从课文的内容来看,中央政府用什么方法让这些流动民工步入正轨?

1）放松户口登记制度

2）积极开展职业介绍工作

3）与荷兰的飞利浦公司签署合同

4）通过廉价的土地和劳动力把投资者吸引到内地 （ ）

6.胡彩霞准备用什么方法来改变自己贫困的家乡?

1）让那些在外边工作的姑娘都回来

2）建养猪场

3）让那些在外边工作的人都回来

4）种水稻 （ ）

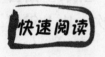

快速阅读

山西最低工资标准从7月1日起提高180元

(**人民网**太原7月4日电) 记者**安洋**报道:从7月1日起,山西省将执行调整后的最低工资标准。这次调整在标准基础上均提高了180元,由一类340元、二类300元、三类260元、四类220元依次调整为520元、480元、440元、400元。

省政府同时提高了小时最低工资标准。

提高最低工资标准后,下岗职工基本生活费和城镇失业人员失业保险金,在现行标准的基础上,每人每月增加10元。(http://www.sina.com.cn 2004年07月04日00:09人民网)

中国就业人数去年超过7.4亿人

中新社北京五月二十四日电 国家统计局今天公布的数字显示，2003年中国劳动就业人数继续增长，年末全国城乡就业人员七亿四千四百三十二万人，比上年末增加六百九十二万人。

这份报告称，全年全国下岗失业人员实现再就业的有四百四十万人，城镇登记失业率为百分之四点三，比上年末上升零点三个百分点。国有企业下岗职工基本生活继续得到保障。年末国有企业下岗职工比上年末减少一百五十万人。

劳动力市场建设继续推进。劳动力市场信息网络初步建成，全国公共职业介绍机构全年成功介绍职业一千一百五十五万人次，比上年增长百分之十八。

职业培训工作取得明显成效。年末全国技工学校在校学生比上年末增加四十万人；全国技工学校全年面向社会开展培训和再培训人次比上年增长百分之八点八。全年有五百四十九万失业人员和下岗职工参加了再就业培训。(http://finance.sina.com.cn 2004年05月25日 07:19 **中国新闻网**)

 **生 词**

1. 城乡	chéng-xiāng	town and country
2. 下岗	xià gǎng	come off sentry duty

3. 失业	shī yè		out of work, unemployment
4. 失业率	shìyèlǜ	(名)	rate of unemployment
5. 职工	zhígōng	(名)	employee
6. 保障	bǎozhàng	(动)	guarantee, safeguard
7. 培训	péixùn	(动)	train, training
8. 技工	jìgōng	(名)	mechanic, artificer

判断正误

1. 在中国全国人口当中,有七亿四千四百三十二万人在工作。(   )

2. 和上年末比较,全国的城镇登记失业率下降了一些,所以全国的就业人口增加了六百九十二万人。(   )

3. 在2003年,全国有四白四十万下岗失业人员找到了新的工作。(   )

4. 2003年年末,全国技工学校在校学生达到五百四十九万人。(   )

四大城市调查显示: 进城务工青年希望融入城市生活

69%的人"希望能成为这个城市的一分子"

72%的人"愿意与当地城市居民交往"

82%的人"喜欢城市的生活"

90%的人"希望能被这里的城市居民尊重"

这项调查实施时间为2004年4月,共对北京、上海、广州、武汉4个城市的979名16~40岁,农村户口,且没有接受过正规高等教育的进城务工者进行了面对面式的访问。

这些外来务工者中,有一部分人的消费方式正在悄悄发生着一些变化：他们使用的手机的平均价格为1300元左右,已经超过了他们的平均月薪1033元。

调查发现,一个重要的原因是：他们想通过消费提高社会地位,使自己与仍然留在农村的人区别开。

需要指出的是,尽管部分进城务工者在消费时越来越重"面子",但由于自身收入水平的限制,合适的价格仍然是最有吸引力的。进城务工者中70%的人认为自己消费时会在同类产品中选择价格最便宜的,80%的人认为商品的品牌和包装无所谓,只要实用就可以,68%的人会在买东西时讨价还价。(http://www.sina.com.cn 2004年08月23日05:19 中国青年报)(邓理峰　曾慧超)

生　词

1. 务工	wùgōng	(动)	work
2. 融入	róngrù	(动)	get along, mix into
3. 一分子	yí fènzǐ	(名)	member
4. 交往	jiāowǎng	(动)	associate, contact
5. 正规	zhèngguī	(形)	normal
6. 高等教育	gāoděng jiàoyù		higher education
7. 包装	bāozhuāng	(名)	packing
8. 无所谓	wúsuǒwèi		be indifferent, not matter
9. 讨价还价	tǎo jià huán jià		bargain, haggle

选择正确答案

1. 这次调查选择的是哪些进城务工者？请指出下列条件中不正确的一个

　　1) 已经在城市工作很长时间

　　2) 16~40岁

　　3）农村户口

　　4）没有接受过正规高等教育　　　　　　　　　　　　　（　　）

2. 进城务工者们在以下哪个方面态度最接近？

　　1）希望能成为这个城市的一分子

　　2）愿意与当地城市居民交往

　　3）喜欢城市的生活

　　4）希望能被这里的城市居民尊重　　　　　　　　　　（　　）

3. 一部分进城务工者的消费方式发生了变化：他们使用的手机比较贵，这说明什么？

　　1）他们目前的工资比较高

　　2）他们相信以后工资会比较高

　　3）他们想提高消费水平

　　4）他们想使自己与仍然留在农村的人看起来不一样　　（　　）

4. 大多数进城务工者在消费的时候最重视的是什么？

　　1）"面子"

　　2）价格

　　3）品牌

　　4）包装　　　　　　　　　　　　　　　　　　　　　（　　）

中国工会积极关注青年群体的就业问题

　　青年作为未来社会的重要基础,受到各国政府和国际组织的广泛关注。中国工会对青年劳动群体十分重视。

　　目前,中国城乡就业人员约为6.88亿,占总人口的55%,中国的劳动力总参与率(指15岁以上就业人口占全国人口的比重)为79%。其中15~19岁年龄组为65%,20~24岁年龄组为91%,25~29岁年龄组为94%,30~34岁年龄组为95%。这表明青年的劳动参与率非常高。因此,中国工会非常重视维护青年劳动者在社会、政治、经济特别是劳动领域的合法权益。

当前中国面临着新一轮的就业高峰,1996年~2000年我国新生劳动力资源为7200万,其中城镇1800万人,农村5400万人。新增劳动力中30%没有经过必要的培训。一些传统的行业和职业的劳动力相对过剩,与此同时,一些新兴行业和技术工种却无人可用。(中华全国总工会　董嘉骊)

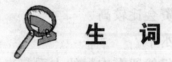

生　词

1. 工会	gōnghuì	(名)	labor union
2. 群体	qúntǐ	(名)	colony, group
3. 维护	wéihù	(动)	maintenance, stick up for, vindicate
4. 新兴	xīnxīng	(形)	rising
5. 工种	gōngzhǒng	(名)	type of work

简要回答:

　　1. 在中国,哪个年龄组的青年劳动参与率最高?

　　2. 中国新增劳动力的问题表现在哪些方面?

中华人民共和国
PEOPLE'S REPUBLIC OF CHINA
外国人永久居留证
FOREIGNER'S PERMANENT RESIDENCE CARD
I<CHN74110419<7XXXXXX01811000
7411043M1409297XXX040930411004
SAMPLE<<PERMANENT<RESIDENCE<CA

第 12 课

中国发绿卡　门槛特别高

中国昨天发布了新的《外国人在中国永久居留审批管理办法》,允许符合条件的外国人在中国永久居留,标志着中国的"绿卡"制度正式实施。　公安部新闻发言人郝赤勇在记者会上说,新的"管理办法"共有29条,分别对外国人申请在中国永久居留的资格条件、审批程序等方面做了明确的规定,与国际上的通行做法基本上一致。

管理办法规定,外国人被批准在中国永久居留后,他的居留地不受户籍限制,也就是说,他可以在中国自由选择就业和居住地区。

官方解释说,管理办法所规范的对象是外国人,而在海外定居的、仍然具有中国国籍、持有中国护照的华侨,不适用这部管理办法。

管理办法对申请中国"绿卡"的外国人的要求很高,政府的目的主要是吸引高级科技和管理人才到中国居住。

公安部出入境管理局崔局长在记者会上解释说,中国不是一个移民国家,新的"绿卡"制度主要是为了吸引高层次人才、资金、先进的技术。

他预计,被批准在中国永久居住的外国人"可能不会很多,但是在上海、北京、广东这些地方,公安机关受理的会有一定的数量"。

申请中国"绿卡"有三个前提条件:遵守中国法律,身体健康和无犯罪记录。具体条件包括:在中国直接投资、连续三年投资情况稳定且纳税记录良好;在中国担任副总经理、副厂长等职务以上或者具有副教授、副研究员等副高级职称以上,已连续任职满四年、四年内在中国居留累计不少于三年并且纳税记录良好的,等等。

中国以前对在华长期居住的外国人使用"定居"和"永久居留"两个概念。定居的主要适用对象是从国外回到中国与家庭团聚的人,而永久居留主要是外籍高层次人才和对中国有特殊贡献的人。

郝赤勇说,在法律上,定居和永久居留并没有严格的区别。因此,新规定取消了"定居"的概念,统称为"在中国永久居留",并给获得永久居留权的外国人统一颁发《外国人永久居留证》。

他透露,目前在中国永久居留的外国人大约有3000人。

中国外交部领事司司长罗田广介绍说,外国公民取得永久居留权以后,可以在中国长期居留,出入中国境内可以不用申请签证。(《**联合早报**》2004-08-21)

生 词

1. 绿卡	lǜkǎ	(名)	green card
2. 门槛	ménkǎn	(名)	doorsill, threshold
3. 居留	jūliú	(动)	reside, residence
4. 审批	shěnpī	(动)	examine and approve
5. 户籍	hùjí	(名)	registered permanent residence
6. 护照	hùzhào	(名)	passport
7. 华侨	huáqiáo	(名)	overseas Chinese
8. 获准	huòzhǔn	(动)	obtain permission
9. 移民	yímín	(名)	immigrant
10. 机关	jīguān	(名)	department
11. 受理	shòulǐ	(动)	accept and hear a case
12. 遵守	zūnshǒu	(动)	abidance, abide
13. 纳税	nà shuì		pay taxes
14. 透露	tòulù	(动)	leak, disclose, reveal
15. 领事司	lǐngshìsī	(名)	The department of consular affairs
16. 签证	qiānzhèng	(动、名)	visa

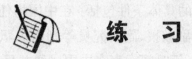 **练 习**

一、根据课文划线连接具有相同特点的词语

绿卡	领事司司长
公安部	纳税
外国人	永久居留
投资	外交部
护照	华侨
新闻发言人	签证

二、指出划线动词的宾语中心词

1. 中国允许<u>符合</u>条件的外国人在中国永久居留。（　　　）

2. 他可以在中国自由<u>选择</u><u>就业</u>和<u>居住地区</u>。（　　　）

3. 新的"绿卡"制度主要是为了<u>吸引</u>高层次人才、资金、先进的技术。（　　　）

4. 外国公民取得永久居留权以后，可以在中国长期居留，可以不用<u>申请</u>签证出入中国境内。（　　　）

三、比较AB两句的意思是否相同

1. A）新的"管理办法"共有29条，分别对外国人申请在中国永久居留的资格条件、审批程序等方面做了明确的规定。

   B）新的"管理办法"共有29条，分别明确规定了外国人申请在中国永久居留的资格条件、审批程序等方面内容。（　　　）

2. A）外国人被批准在中国永久居留后，他的居留地不受户籍限制，也就是说，他可以在中国自由选择就业和居住地区。

   B）如果中国批准外国人永久居留，那么中国不会用户籍限制他的居留地。也就是说，他可以在中国任何地方就业和居住。（　　　）

3. A）他预计，被批准在中国永久居住的外国人"可能不会很多，但是在上海、北京、广东这些地方，公安机关受理的会有一定的数量"。

   B）他预计，在上海、北京、广东这些地方会有一些外国人得到批准，在中国永久居住，其他地方得到批准的人不多。（　　　）

4. A）申请中国"绿卡"的具体条件包括：在中国担任副总经理、副厂长等职务以上或者具有副教授、副研究员等副高级职称以上，已连续任职满四年、四年内在中国居留累计不少于三年并且纳税记录良好。

B）申请中国"绿卡"的具体条件包括：在中国担任副总经理、副厂长等职务以上或者具有副教授、副研究员等副高级职称以上，已连续任职满四年、四年内有三年时间一直在中国居留并且纳税记录良好。（　　）

四、判断正误

1. 申请中国"绿卡"有三个前提条件：热爱中国，身体健康和无犯罪记录。（　　）

2. 申请中国"绿卡"的具体条件包括：在中国直接投资、连续三年投资情况稳定或者纳税记录良好。（　　）

3. 以前，中国使用"定居"和"永久居留"两个概念进行管理。定居是指在海外生活的、仍然具有中国国籍、持有中国护照的华侨从国外回到中国与家庭团聚，永久居留是指外籍高层次人才和对中国有特殊贡献的人在中国长期居住。（　　）

4. 公安部新闻发言人郝赤勇透露，目前申请在中国永久居留的外国人大约有3000人。（　　）

外国人在中国永久居留审批管理办法

（国务院2003年12月13日批准，公安部、外交部第74号令2004年8月15日发布）

第六条　申请在中国永久居留的外国人应当遵守中国法律，身体健康，无犯罪记录，并符合下列条件之一：

（一）在中国直接投资、连续三年投资情况稳定并且纳税记录良好的；

（四）本款第一项所指人员的配偶及其未满18周岁的未婚子女；

（五）中国公民的配偶或者在中国获得永久居留资格的外国人的配偶，婚姻关系存续满五年、已在中国连续居留满五年、每年在中国居留不少于九个月并且有稳定生活保障和住所的；

第七条 本办法第六条第一款第一项所指的外国人，其在中国投资实际缴付的注册资本金应当符合下列条件之一：

（一）在国家颁布的《外商投资产业指导目录》鼓励类产业投资合计50万美元以上；

（二）在中国西部地区和国家扶贫开发工作重点县投资合计50万美元以上；

（三）在中国中部地区投资合计100万美元以上；

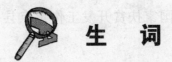

生　词

1. 款	kuǎn	（名）	article，item，term
2. 配偶	pèi'ǒu	（名）	spouse
3. 存续	cúnxù	（动）	continue to exist，last
4. 缴付	jiǎofù	（动）	pay
5. 注册	zhùcè	（动）	login，register
6. 资本金	zīběnjīn	（名）	capital
7. 产业	chǎnyè	（名）	industry
8. 目录	mùlù	（名）	catalogue，directory
9. 扶贫	fúpín	（动）	help the poor

选择正确答案

1. 申请在中国永久居留的外国人应当遵守中国法律，身体健康，无犯罪记录。请指出课文中没有提到的条件：

1）在中国直接投资、连续三年投资情况稳定并且纳税记录良好

2）1）所指人员的配偶及其未满18周岁的未婚子女

3）中国公民的配偶或者在中国获得永久居留资格的外国人的配偶，婚姻关系存续满五年、已在中国连续居留满五年、每年在中国居留不

少于九个月而且有稳定生活保障和住所

4) 学习过汉语,并且通过了中级HSK考试　　　　　　　　　　(　　)

2. 因为投资而在中国申请永久居留的外国人,最少应该投资多少?

1) 50万美元以上

2) 100万美元以上

3) 200万美元以上

4) 没有限制　　　　　　　　　　　　　　　　　　　　　　(　　)

3. 从第七条关于投资条件的说明中,我们可以看出,中国政府最需要外资
投入哪些地方?

1) 国家颁布的《外商投资产业指导目录》鼓励类产业

2) 中国西部地区和国家扶贫开发工作重点县

3) 中国中部地区

4) 包括1)和2)　　　　　　　　　　　　　　　　　　　　(　　)

中国"绿卡"制度正式实施

　　经国务院批准,8月15日,公安部部长周永康、外交部部长李肇星联合签署第74号令, 正式发布施行《外国人在中国永久居留审批管理办法》。

　　永久居留资格是一个国家政府依据本国法律规定,给予符合一定条件的外国人在本国居留而不受居留期限限制的一种资格。外国人在居留国享有永久居留资格,这些人所取得的合法居留的身份证件,就是人们通常所称的"绿卡"。

　　《外国人永久居留证》的有效期分为5年有效和10年有效两种。对未成年人颁发5年有效的证件,对成年人颁发10年有效证件。证件期满、遗失、损坏或有关内容变更的,可以申请换发或补发,公安机关经审核不

具有丧失永久居留资格情形的,将为其换发或补发证件,无需按照申请条件重新审批。

　　尽管中国法律对外国人长期居留或永久居留问题有原则性规定,中国公安机关在审批管理方面也做了一些实践,但从总体上看,目前审批管理工作还不够规范、不够具体,还需要继续加强和改进。

生　词

1. 签署	qiānshǔ	(动)	sign, intial (a document)
2. 证件	zhèngjiàn	(名)	certificate
3. 期满	qīmǎn	(动)	expire, run out
4. 遗失	yíshī	(动)	lose
5. 损坏	sǔnhuài	(动)	damage, injure
6. 变更	biàngēng	(动)	changing
7. 换发	huànfā	(动)	recertification
8. 补发	bǔfā	(动)	reissue, supply again
9. 审核	shěnhé	(动)	audit, look through, examine
10. 丧失	sàngshī	(动)	lose
11. 无需	wúxū	(动)	do not need, can dispense with
12. 实践	shíjiàn	(动)	practice, practise
13. 规范	guīfàn	(形)	standard, norm
14. 具体	jùtǐ	(形)	concrete, specific

选择正确答案

1. 人们通常所称的"绿卡"是指什么?

　　1) 管理办法

　　2) 本国法律

3) 居留期限

4) 身份证件 （ ）

2. 如果一个外国人没有丧失永久居留资格,但是他的《永久居留证》期满、遗失、损坏或有关内容需要变更,公安机关将怎样处理？请指出下列答案中不正确的做法：

1) 重新审批

2) 审核情况

3) 换发证件

4) 补发证件 （ ）

3. 课文认为中国公安机关在审批管理外国人长期居留或永久居留方面的工作怎么样？

1) 还没有原则性规定

2) 还不成熟

3) 还在研究,没有实践

4) 还没有开始 （ ）

外国高层人员纷纷申请中国"绿卡"

（上海新华电）昨日上午10点钟左右,十多名外国人就在上海市公安局出入境管理局的"绿卡"申请窗口前排起队伍,准备申请在中国的永久居留权,也就是"绿卡"。

中国公安部、外交部在本月20日正式宣布中国实施"绿卡"制度,昨日是受理"绿卡"申请的第一个工作日。

上海克虏伯不锈钢有限公司总经理格哈德·麦贺法就是排队的人之一。这位奥地利人还是上海市外商投资企业协会副会长,曾获得过浦东发展杰出贡献奖、白玉兰荣誉奖,还是上海市的荣誉市民。

49岁的麦贺法告诉记者:"以往过半年就要换一次居留证,如果'绿卡'申请下来,10年才换发一次证件,和你们的身份证享受一样的'国民待遇'。"

在申请"绿卡"的外国人里,有几名是美籍华人。1998年,上海盛大网络有限公司首席执行官唐骏获得了美国国籍。现已在上海工作7年的他,经常感觉到手持外国人定期居留证的"麻烦":出入境要办签证,居留时间到期要换证……唐骏的妻子和两个孩子还在美国,他希望一家人都能办上中国的"绿卡"。

在实施"绿卡"制度之前,上海共有130多名外国人获得中国定居权,其中绝大多数是老一代华侨的后裔。而改革开放以来,只有6名外国人在上海获得中国永久居留资格。实施"绿卡"制度后,批准定居和授予永久居留资格将统一为授予永久居留权。(《**联合早报**》2004-08-24)

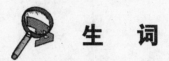 生 词

| 1. 荣誉市民 | róngyù shìmín | | honorary citizen |
| 2. 后裔 | hòuyì | (名) | descendant |

 专有名词

| 1. 上海市公安局出入境管理局 | Shànghǎi Shì Gōng'ānjú Chūrùjìng Guǎnlǐjú Exit and Entry Management Section of the Shanghai Municipal Public Security Bureau |
| 2. 克虏伯不锈钢有限公司 | Kèlǔbó Búxiùgāng Yǒuxiàn Gōngsī Shanghai Krupp Stainless |

3. 浦东   Pǔdōng
                                       Pudong (a district in Shanghai)

4. 白玉兰荣誉奖   Báiyùlán Róngyùjiǎng
                                       Magnolia Award of Shanghai

5. 首席执行官   Shǒuxí Zhíxíngguān
                                       CEO，Chief Executive Officer

简要回答：

    1. 这些申请办理绿卡的外国人认为，绿卡给他们带来的好处有哪些？

    2. 作为一个开放的城市，上海在改革开放以后接受了多少名外国人永久居留者？

第 13 课

你设计　我制造

[**美联社**纽约8月18日电]这是因特网革命与工业革命的相遇：一种新软件使得人们可以亲自动手设计汽车零部件和门把手，然后在网上订购这些产品。

虽然电脑辅助设计程序在几十年前就已经出现，但是像eMachineShop.com这样提供设计检测和成本估算服务的网站还是头一家。如果顾客真的想得到他们所设计的商品，他们的设计会被送往真实世界的制造商那里进行制作。

该服务的核心部分是由eMachineShop免费提供的一种设计软件，目的是为设计爱好者提供一种简单的设计工具。

虽然价格无法与沃尔玛相比，但是沃尔玛绝对不会为你单独生产10支铜制门把手，而eMachineShop会这样做，为此的收费是143美元。

设计师吉姆·刘易斯是这家公司的创办人，公司与全球很多金属加工公司签订了合同，由这些公司负责产品的实际制作。

虽然这家位于新泽西州、拥有19名员工的公司从未做过广告，但目前该公司已经接受了1000多项设计，产品包括门上标志、摩托车座椅等等。

公司的顾客也是五花八门，有专做模型的大型公司，也有像亚利桑那州的丹尼斯·韦格这样的业余爱好者。韦格正在根据1929年的一项设计制作一架飞机，他在刘易斯的公司为他的飞机订做了许多金属部件。

韦格说："我之所以必须订这些零件，是因为它们在这个世界上根本就不存在。"

他认为这种新软件速度很快而且容易使用。他说，最后制作出来的产品质量与他的订货标准稍微有一点差距，但是在可以接受的范围之内。

韦格说："只需坐在家中的计算机前，画出一些零件的图样，然后提交，30天后，这些东西就会被送到你家门口，完全不需要什么人员交接，这一点确实令人兴奋。"(2004-08-23**参考消息第七版**)

生　词

1. 革命	gémìng	(名)	revolution
2. 相遇	xiāngyù	(动)	meet
3. 零部件	líng-bùjiàn	(名)	parts and components
4. 把手	bǎshou	(名)	handle, knob
5. 订购	dìnggòu	(动)	order goods
6. 辅助	fǔzhù	(动)	supplementary, auxiliary
7. 程序	chéngxù	(名)	process
8. 成本	chéngběn	(名)	cost
9. 估算	gūsuàn	(动)	estimate, roughly calculate
10. 核心	héxīn	(名)	core
11. 铜	tóng	(名)	copper
12. 签订	qiāndìng	(动)	to sign
13. 合同	hétóng	(名)	contract
14. 座椅	zuòyǐ	(名)	seat
15. 五花八门	wǔ huā bā mén		multifarious, diverse
16. 模型	móxíng	(名)	model
17. 业余爱好者	yèyú àihàozhě		amateur, hobbyist
18. 根本	gēnběn	(副)	at all
19. 订货	dìng huò		order goods
20. 稍微	shāowēi	(副)	little
21. 交接	jiāojiē	(动)	connect, hand over and take over

专有名词

1. 因特网	Yīntèwǎng	internet
2. 沃尔玛	Wò'ěrmǎ	Wal-Mart
3. 新泽西州	Xīnzéxīzhōu	New Jersey
4. 亚利桑那州	Yàlìsāngnàzhōu	Arizona

练　习

一、根据课文划线连接具有相同特点的词语

eMachineShop.com	业余爱好者
设计	制造商
因特网革命	摩托车座椅
网站	订购
门上标志	沃尔玛
大型公司	工业革命

二、指出划线动词的宾语中心词

1. 一种新软件使得人们可以亲自动手<u>设计</u>汽车零部件和门把手。（　　）

2. 但是像eMachineShop.com这样<u>提供</u>设计检测和成本估算服务的网站还是头一家。（　　）

3. 由这些公司<u>负责</u>产品的实际制作。（　　）

4. 韦格正在<u>根据</u>1929年的一项设计制作一架飞机,他在刘易斯的公司为他的飞机<u>订做</u>了许多金属部件。（　　）

三、比较A、B两句的意思是否相同

1. A）一种新软件使得人们可以亲自动手设计汽车零部件和门把手,然后在网上订购这些产品。

B）人们可以在网上购买汽车零部件和门把手,然后利用一种新软件改
变这些产品。(　　)

2. A）虽然电脑辅助设计程序在几十年前就已经出现,但是像eMachineShop.
com这样提供设计检测和成本估算服务的网站还是头一家。

B）eMachineShop.com是第一家提供设计检测和成本估算服务的网站,
这是它和几十年前就已经出现的电脑辅助设计程序不一样的地方。
(　　)

3. A）该服务的核心部分是由eMachineShop免费提供的一种设计软件,目
的是为设计爱好者提供一种简单的设计工具。

B）eMachineShop的服务当中最重要的部分,是由公司的服务人员免费
帮助设计爱好者设计他们的产品。(　　)

4. A）他认为这种新软件速度很快而且容易使用。他说,最后制作出来的
产品质量与他的订货标准稍微有一点差距,但是在可以接受的范围
之内。

B）他认为可以用这种新软件很快、很方便地设计。但是真正制造出来
的产品和他的设计有一些不同,不过,不是很严重,完全可以接受。
(　　)

四、选择正确答案

1. "虽然价格无法与沃尔玛相比,但是沃尔玛绝对不会为你单独生产10支
铜制门把手,而eMachineShop会这样做,为此的收费是143美元。"
在这里,作者要强调的是:

1）eMachineShop的服务和传统的服务不一样,可以满足一些特别的需
要

2）eMachineShop的价格往往比沃尔玛高,两者无法相比

3）沃尔玛只会卖铜制门把手,不会生产这些东西

4）通过eMachineShop设计制造10支铜制门把手的价格是143美元
(　　)

2. "设计师吉姆·刘易斯是这家公司的创办人,公司与全球很多金属加工
公司签订了合同,由这些公司负责产品的实际制作。"
从这里,我们可以看出,负责产品实际制作的是:

1）很多设计师

2）吉姆·刘易斯

3）这家公司（eMachineShop）

4）全球很多金属加工公司 （　　）

3. "虽然这家位于新泽西州、拥有19名员工的公司从未做过广告，但目前
该公司已经接受了1000多项设计，产品包括门上标志、摩托车座椅等
等。"

在这里，作者要说明的是：

1）这家位于新泽西州、拥有19名员工的公司从未做过广告

2）目前该公司已经接受了1000多项设计

3）他们设计的产品包括门上标志、摩托车座椅等等

4）公司经营得不错，发展顺利 （　　）

4. "公司的顾客也是五花八门，有专做模型的大型公司，也有像亚利桑那
州的丹尼斯·韦格这样的业余爱好者。韦格正在根据1929年的一项设
计制作一架飞机，他在刘易斯的公司为他的飞机订做了许多金属部
件。"

刘易斯的公司（eMachineShop）为丹尼斯·韦格做了什么？

1）帮助丹尼斯·韦格在亚利桑那州设计和制造模型

2）帮助丹尼斯·韦格制作飞机零部件

3）帮助丹尼斯·韦格设计一架飞机

4）帮助业余爱好者丹尼斯·韦格提高设计水平 （　　）

5. 韦格说："只需坐在家中的计算机前，画出一些零件的图样，然后提交，
30天后，这些东西就会被送到你家门口，完全不需要什么人员交接，这
一点确实令人兴奋。"

从韦格的谈话中，我们可以看出，他对这种服务的看法是：

1）设计过程很有意思，令人兴奋

2）需要自己的参与和努力才能完成设计

3）很方便，能够满足个人需要

4）速度很快，而且不需要什么人员交接 （　　）

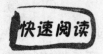

新浪搜狐将终止弹出式广告

《**联合早报**》(上海特派员　**黄绮芳**)　对一心只想浏览网站的网友而言,弹出式广告(pop-up ads)就像电影院里遮住大银幕的迟到观众那样,令人烦不胜烦。

不过弹出式广告的效益让广告商高兴,它所带来的收入令网站很难拒绝。现在,网站必须在观众的要求和广告商的需求之间作出选择。

中国两大网站新浪和搜狐最近先后宣布在不久后停止为广告商提供弹出式广告的服务。

新浪本星期一宣布准备在一年内终止弹出式广告,以照顾到网民的浏览便利。继新浪之后,搜狐隔天也宣布从本月起停止接受弹出广告订单。(2004-07-30)

我国ADSL用户年底将达2千万　占宽带用户80%

本报讯　据通信信息研究所预测,2004年底,中国的ADSL用户将达到2000万,在宽带用户中所占的比例接近80%。但地区发展还不均衡。

广东、上海、浙江、江苏、福建等东南沿海地区经济比较发达,上网普及率较高,推出ADSL业务较早。这些地区的ADSL市场已处于快速扩张阶段。2004年,这些地区的ADSL市场将继续高速增长,并在未来的2至3

年内形成成熟而具有中国特色的宽带产业。

　　除了内蒙古自治区以外,北方大部分地区的ADSL市场都还是初具规模,普及率比较低。在这些地区,高速上网是用户选择ADSL的主要目的。

　　西部地区除了四川和重庆等个别省市以外,其余大部分地区的ADSL市场尚处于起步阶段。这些地区的互联网本身就不普及,用户数较少,个人用户更少,因此宽带业务发展缓慢。尤其是青海和西藏,目前仍处于试验阶段。这些地区的产业基础比较薄弱,宽带市场的起飞尚需时日。(http://www.sina.com.cn 2004年07月08日 11:43 人民网—人民日报海外版)

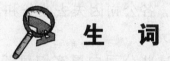 生　词

1. ADSL(非对称数字用户环线)			
			ADSL, Asymmetrical Digital Subscriber Loop
2. 个别	gèbié	(形)	very few, a few
3. 起步	qǐbù	(动)	get underway, to start a task
4. 起飞	qǐfēi	(动)	begin to develop rapidly, take off

判断正误

　　1. 在作者发表这篇文章的时候,中国的ADSL用户已经达到2000万。(　　)

　　2. 广东、上海、浙江、江苏、福建等东南沿海地区经济比较发达,推出ADSL业务较早。这些地区的ADSL市场已经稳定和成熟。(　　)

　　3. 在北方地区,内蒙古自治区的ADSL市场规模比较大,普及率比较高。(　　)

　　4. 在西部地区,四川和重庆的ADSL市场尚处于起步阶段。(　　)

　　5. 青海和西藏地区的宽带市场还没有形成。(　　)

俄罗斯黑客越来越厉害

(莫斯科讯)警方周三表示,俄罗斯黑客(hackers)对全球商务的威胁越来越大。警方上周刚刚破获一个造成英国公司损失高达7000万美元的网上勒索集团。

英国警方上周宣布,他们在一次联合行动中摧毁了一个向英国银行和赌博公司勒索钱财的俄罗斯黑客小集团。

在这个持续了将近一年的攻击活动中,黑客以大量资料攻击这些公司的电脑,造成它们过载。各公司因失去业务和设备损坏造成的损失高达4000万英镑(7300万美元)。

为了避免遭受损失,这些公司向黑客们付钱,以免他们继续攻击电脑。在被捕之前,这些年轻的俄罗斯人赚进了约4万美元。

警方表示,大多数黑客都是受过教育的年轻人,他们一般独立工作,也不具有大多数警方认定的犯罪分子特征。

俄罗斯方面说:"这并非一个正规的组织,每个人都坐在家中,每个人都在扮演自己的角色。他们与我们习惯对付的那种罪犯差别非常大。"(**路透社**)(《联合早报》2004-07-30)

生 词

1. 黑客	hēikè	(名)	hacker
2. 勒索	lèsuǒ	(动)	blackmail
3. 赌博	dǔbó	(动)	gambling
4. 过载	guòzài	(动)	overload
5. 特征	tèzhēng	(名)	characteristic, trait

判断正误

1. 俄罗斯黑客不仅威胁本国的商务活动,也威胁其他国家的商务活动。
(　　)

2. 在将近一年的时间里,俄罗斯黑客攻击英国银行和赌博公司的方法是从这些公司的网络中直接偷走7300万美元的钱。(　　)

3. 在受到攻击以后,这些公司给了俄罗斯黑客大约4万美元,希望他们不要再攻击公司的电脑。(　　)

4. 警方认为,大多数黑客都是受过教育的年轻人,有正规的组织,他们犯罪时都在家中,警察很难发现。(　　)

新浪创造互联网留言世界纪录

新浪体育讯　在雅典奥运会临近结束之际,中国田径的惊人进步带动了广大网友的热情。新浪网网友留言创造了新纪录。

北京时间8月28日凌晨2点40分,雅典奥林匹克体育场,这是一个值得所有中国人铭记的日子,中国选手刘翔在男子110米栏决赛中以平世界纪录的12秒91获得金牌! 他创造了中国乃至亚洲的历史,成为第一个获得奥运田径短跑项目冠军的黄种人。就在刘翔创造历史之后不到1个半小时,在奥运会田径女子10000米比赛中,中国选手邢慧娜从三名埃塞俄比亚运动员中突出重围,凭借强有力的冲刺以30分24秒36获得冠军。

从28日凌晨2点至中午12点,在这万众振奋的10小时里,新浪奥运频道的网友留言数量一路上升,达到了惊人的32000多条,几乎每一秒钟就有一条网友评论,创下全球互联网网友留言的最高记录。新浪网体育频道主编敖铭激动地说:"我们很荣幸生活在一个英雄辈出的时代。"
(http://sports.sina.com.cn 2004年08月28日 20:02 新浪体育)

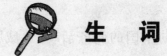

生 词

1. 网友	wǎngyǒu	(名)	cyber buddy, online friend
2. 铭记	míngjì	(动)	engrave in one's mind, always remember
3. 短跑	duǎnpǎo	(名)	sprint, dash
4. 黄种人	huángzhǒng rén		yellow race
5. 重围	chóngwéi	(名)	tight encirclement
6. 冲刺	chōngcì	(动)	sprint, spurt
7. 主编	zhǔbiān	(名)	editor in chief
8. 英雄辈出	yīngxióng bèichū		give birth to a lot of heroes

专有名词

埃塞俄比亚	Āisài'ébǐyà	Ethiopia

简要回答:

1. 在雅典奥运会临近结束之际,是什么带动了广大网友的热情,使新浪网网友留言创造了新纪录?

2. 刘翔创造了中国纪录、亚洲纪录和世界纪录,对吗?

3. 看到刘翔和邢慧娜的胜利,网友们的反应是什么?

第 14 课

杨欣和他的"绿色江河"

　　眼前这位集探险家、摄影家和著名环保倡导者于一身的杨欣，早在1995年时与记者就有接触。那时，在藏族环保卫士索南达杰献身精神的鼓舞下，他孤身来到青藏高原，寻求保护长江源的途径。6 年过去了，杨欣带动了更多的环保志愿者，而由他组建的我国民间环保组织"绿色江河"是其中的楷模。

　　6年中，"绿色江河"围绕长江源生态环境保护开展了系列活动，并在海拔4500米的可可西里地区，建起了我国长江源头第一个自然环境保护站——索南达杰站，使长江源的生态环境和藏羚羊的命运得到政府和社会的广泛关注。

　　2000年2月，经过5个月的努力，在WWF和地球之友的资助下，"绿色江河"编辑的《长江源》画册正式出版，通过杨欣在长江源13年间拍摄的图片，全面展示出长江源区14万平方公里的自然景观、宗教民俗及自然生态状况。《长江源》画册成为中国迄今第一本专门展示长江源的综合画册。

　　2000年4月21日，"绿色江河"启动"长江的希望"活动。这项活动计划为长江沿岸的1000所中小学校和100所大学捐赠《长江魂》、《长江源》两种图书，希望能有更多的孩子通过这套书了解我们的长江。为支持此项活动，中央电视台"读书时间"栏目专门制作了一个小时的专题片"我们只有一条长江"，并在4月22日地球日的黄金时间播出；中国青年报、北京青年报都对此项活动进行了专题报道；《中国国家地理》等7家杂志免费刊登"长江的希望"公益广告。此项活动推出后在社会上引起了反响，许多个人和组织、企业都积极参与，向自己的母校和贫困地区的学校捐书，其中纽约人寿国际公司购买了1200套《长江魂》和《长江源》，捐赠给

1000所中小学和100所大学的图书馆。

杨欣说,在2000年12月的最后一天,保护站增加了卫星电话、电脑和一辆北京吉普车,同时第一批志愿者到达保护站,索南达杰保护站志愿者机制正式开始。

2000年中,"绿色江河"开展的工作更加具体化,涉及的工作内容更多,工作范围更广,然而"绿色江河"包括杨欣只有3名专职工作人员(其中一名工作人员8月份才加入,长期在保护站驻守)和3名兼职人员,其能力相当有限。很大一部分工作需要依靠更多志愿者的帮助和支持。但是,杨欣充满信心地说,新的一年里,"绿色江河"将和大家共同努力,把这条母亲河装扮得更美。因为我们只有一条长江。(**中国青年报** 记者 **唐钰**)

生　词

1. 卫士	wèishì	(名)	body guard	
2. 献身	xiàn shēn		dedicate oneself to, devote oneself to	
3. 鼓舞	gǔwǔ	(动)	excite, inspire	
4. 孤身	gūshēn	(形)	single alone	
5. 源	yuán	(名)	headstream, source	
6. 楷模	kǎimó	(名)	model, pattern	
7. 藏羚羊	zànglíngyáng	(名)	Tibetan antelope	
8. 专题	zhuāntí	(名)	subject, special topic	
9. 公益	gōngyì	(形)	public good, commonweal	
10. 母校	mǔxiào	(名)	Alma Mater	
11. 义务	yìwù	(名)	obligation	
12. 卫星电话	wèixīng diànhuà		satellite phone	
13. 志愿者	zhìyuànzhě	(名)	volunteer	
14. 专职	zhuānzhí	(形)	full time	
15. 驻守	zhùshǒu	(动)	be stationed, defend	
16. 装扮	zhuāngbàn	(动)	impersonation, playact	

专有名词

1. 藏族　　　Zàngzú　　Tibetan
2. 可可西里　Kěkěxīlǐ　Kekexili, which lies in the border areas of the Tibet Autonomous Region, Qinghai Province and the Xinjiang Uygur Autonomous Region.
3. WWF　　　World Wildlife Fund, Global conservation, research, environmental advocacy, and restoration organization
4. 地球之友　Dìqiú zhī yǒu
　　　　　　Friends of the Earth, an international environmental organization that promotes solutions to environmental issues.

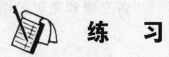

练　习

一、根据课文划线连接具有相同特点的词语

索南达杰	义务购买
"绿色江河"	兼职
可可西里	WWF和地球之友
捐赠	杨欣
专职	藏羚羊

二、划线搭配动词和名词(宾语)

寻求	长江源	带动	广告
组建	途径	刊登	志愿者
展示	"绿色江河"	引起	母亲河
制作	专题片	装扮	反响

三、指出划线动词的宾语中心词

1. 眼前这位<u>集</u>探险家、摄影家和著名环保倡导者于一身的杨欣,在1995年时与记者就有接触。

2. 6年中,"绿色江河"<u>围绕</u>长江源生态环境保护开展了一系列活动。

3. 通过杨欣在长江源13年间拍摄的图片,全面<u>展示</u>出长江源区14万平方公里的自然景观、宗教民俗及自然生态状况。

4. 中国青年报,北京青年报都对此项活动<u>进行</u>专题报道。

四、判断正误

1. 1995年,杨欣和索南达杰来到青藏高原,寻求保护长江源的途径。6年后,杨欣组建了环境保护组织"绿色江河"。(　　　)

2. "绿色江河"建立了中国在长江源头的第一个自然环境保护站——索南达杰站,推动了长江源生态环境和藏羚羊的保护。(　　　)

3. 2000年2月,《长江源》画册正式出版。这些照片是WWF、地球之友的工作人员和杨欣用13年的时间拍摄的,全面展示出长江源区14万平方公里的自然景观、宗教民俗及自然生态状况。(　　　)

4. 2000年4月21日,"绿色江河"启动"长江的希望"活动。这项活动计划的主要内容,是向学生、电视台、报纸、杂志和各个公司捐赠图书。(　　　)

5. 2000年,"绿色江河"只有6名专职和兼职工作人员,能力还很有限。(　　　)

杨欣获"福特环保"奖

29日,在北京人民大会堂举行的"2001年福特汽车环保奖"颁奖仪式上,四川"绿色江河"环境保护促进会会长杨欣,从全国人大常委会副委员长王光英手中接过了自然环境保护项目一等奖,杨欣还代表获奖者发言。

　　2000年"福特汽车环保奖"首次进入中国。它是世界上规模最大的环保奖评比活动之一，授奖活动遍及50多个国家和地区。其前身是1983年在英国首次发起的"亨利·福特环保奖"，宗旨是鼓励各阶层人士积极参与有助于保护本地环境和自然资源的活动。在过去的18年中，遍及34个欧洲国家的15000多个团体和个人加入到此项活动中来。该奖分为三个项目：自然环境保护项目、环境教育项目和青少年环境项目。（《**华西都市报**》2001年10月30日）

阅读（一）

民间环保运动在我国蓬勃兴起

　　"环保是一条射线，只有起点没有终点，我们保护长江源的工作还将继续下去。"在今天举行的"福特汽车环保奖"颁奖仪式上，环保志愿者杨欣说。

　　杨欣1995年起投身长江源保护，组织科学家考察生态环境，建设索南达杰保护站，策划长江源环境保护纪念碑，"长江源保护"成为我国环保组织开展项目中海拔最高、持续时间最长的项目。

　　风尘仆仆的治沙人、爱鸟护鸟的热心人、利用互联网传播环保知识的年轻人……在我国，环境保护意识逐渐深入人心，像杨欣一样自愿从事环境保护的人越来越多，一场前所未有的环境保护运动正在民间兴起。自然之友、地球村、绿家园……近年来，一系列民间环保组织越来越多地出现在公众面前，成为环境保护的生力军。

　　蓄着一脸大胡子的杨欣认为，虽然我国环保工作特别是民间环境保护工作起步较晚，但是近十年在社会各界的大力支持和鼓励下发展迅猛。

　　参与环境保护的个人也越来越多。在内蒙古，殷玉珍夫妇没花国家一分钱，从1985年起治沙造林4万亩，不仅改善了生态，而且改善了生活;在北京,今年65岁的卫桂英从1984年起承包了5000亩荒山,10多年间这些荒山全部披上了绿装;在河南新乡,田桂荣的名字是和她回收的52吨废旧电池联系在一起的。

越来越多的青少年成为环境保护的使者。在温州,"绿眼睛根与芽"环保团体的中学生扛起了环保大旗;在北京,东高房小学8岁的袁日涉从1999年起发起"一张纸"活动,迄今已回收废纸7万多张,相当于保护了14棵3米高的大树。

民间环保运动还出现了利用高技术的趋势。中国环境网创办一年多来,克服了资金短缺等困难,目前日点击量已达10多万人次。网站负责人刘卫平说:"互联网为环保教育提供了一条崭新途径,这一项目就是旨在通过网络传播环保知识,使环保成为更多人的自愿行为。"

新中国环保事业的见证人曲格平教授评价说:"当前,无论从中央到地方,从政府到民间,从城市到乡村,环境保护意识都在显著地提高……涌现出了一大批长期在基层开展环保活动的无名英雄,他们的行动对环保工作起到了推动作用,应该得到社会的承认和尊敬。我国环境保护事业正在迎来历史上最好的发展时机。"(**新华社** 2001年10月29日)

生 词

1. 射线	shèxiàn	(名)	radial
2. 颁奖	bān jiǎng		present an award
3. 投身	tóushēn	(动)	devote into, throw oneself in
4. 海拔	hǎibá	(名)	altitude
5. 风尘仆仆	fēngchén púpú		tired and travel worn
6. 蓄	xù	(动)	store up
7. 荒山	huāngshān	(名)	deserted hill

选择正确答案：

1. "环保是一条射线，只有起点没有终点，我们保护长江源的工作还将继续下去。"在今天举行的"福特汽车环保奖"颁奖仪式上，环保志愿者杨欣说。他的意思是：

1) 环保工作和射线一样，是多方面的，需要各个方面的支持和帮助

2) 环保工作和射线一样没有终点，应该永远不停止地进行下去

3) 环保工作和射线一样，看不见终点，让我们觉得心情沉重

4) 环保工作和射线一样，没有终点。我们愿意努力，但是可能不会看到
　　结果　　　　　　　　　　　　　　　　　　　　　　　（　　）

2. 作者认为，民间环保的主力军是：

1) 自然之友、地球村、绿家园等一系列民间环保组织

2) 风尘仆仆的治沙人

3) 爱鸟、护鸟的热心人

4) 利用互联网传播环保知识的年轻人　　　　　　　　　（　　）

3. 作者在介绍参与环境保护的个人也越来越多的时候，没有提到的事例是什么？

1) 治沙造林

2) 绿化荒山

3) 爱鸟、护鸟

4) 回收废旧电池　　　　　　　　　　　　　　　　　　（　　）

4. 这篇文章介绍了中国民间环保事业的很多方面，请指出没有介绍的部分：

1) 环境意识逐渐深入人心

2) 参加环保的组织和个人越来越多

3) 在环保运动中出现了利用高技术的趋势

4) 国际合作日益发展　　　　　　　　　　　　　　　　（　　）

环保红绿灯和美国志愿者

　　四川在线-四川日报消息 "在艰难有限的条件下,绿色江河志愿者建起了世界上第一个为野生动物设立的红绿灯。"两名美国环保人士乌辛堃和麦慕伦受此感染,来到成都,义务担当环保文献资料和环保画册出版的翻译工作。8日,在绿色江河办公室里,记者见到了杨欣和两位美国同行。

　　"我2000年首次到中国,在北京的一个会议上见到杨欣,他才开口发言几分钟,我就决定要认识这个人。杨欣为野生动物、长江水域保护等问题四处奔走,付出了很大的努力。"乌辛堃说西部环保志愿者的工作做得非常好,无论是各种拯救活动,还是拍照、探险,都完成得漂亮圆满,但地域限制了他们与外界接触的机会,他们需要一个更稳固更宽阔的平台。乌辛堃将自己的美国朋友拉进来,为中国西部环保提供翻译支持,以唤起世界对中国西部环保的关注,帮助筹集活动经费等。

　　"世界上第一个为野生动物设置的红绿灯是杨欣他们做的,全世界都为之感动!"乌辛堃说。2004年6月,青藏公路2998公里处,为可可西里藏羚羊设置的红绿灯首次开启,青藏公路上的汽车齐刷刷停下来为迁徙的羚羊群让路,索南达杰自然保护站的每一个志愿者都雀跃不止。乌辛堃和麦慕伦对于为保护藏羚羊而牺牲的英雄、青海治多县西部工委书记杰桑·索南达杰敬佩不已。

　　杨欣有些辛酸地说:"藏羚羊是高原上奔跑最快的动物,可是却对跨越公路异常畏惧,它们战战兢兢地接近公路,当汽车呼啸而来,赶紧掉头逃离,待汽车走远,再接近公路,汽车来了再跑。过一次公路要花很多时间。"不过现在好多了,当羊群接近青藏公路时,索南达杰的志愿者会按下红绿灯按钮,红灯亮起,所有的汽车都要停下来。杨欣说,最多时藏羚羊群有500多只,全部通过青藏公路需要10多分钟时间,这时候,志愿者会对司机们宣讲环保的重要和红绿灯的由来。(本报记者　**尹晓华**) (http://www.scol.com.cn 四川在线 2005-01-11　05:22:21　来源：四川在线—四川日报）

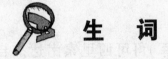

生　词

1. 水域	shuǐyù	（名）	water area, body of water
2. 平台	píngtái	（名）	terrace, platform
3. 迁徙	qiānxǐ	（动）	migrate
4. 雀跃	quèyuè	（动）	jump for joy
5. 敬佩	jìngpèi	（动）	esteem, admire
6. 跨越	kuàyuè	（动）	leap across
7. 呼啸	hūxiào	（动）	howl, whistle, scream

判断正误

1. 两名美国环保人士乌辛堃和麦慕伦是来成都帮助"绿色江河"设计野生动物红绿灯的。（　　）

2. 乌辛堃2000年第一次来中国的时候已经认识了杨欣。（　　）

3. 乌辛堃认为西部环保志愿者的工作做得非常好,但是缺少和外界的接触,他们需要一种更好的方式和途径,加强和外界的交流。（　　）

4. 在青藏公路设立红绿灯是为了限制观看藏羚羊的游客。（　　）

5. 杨欣介绍说,藏羚羊奔跑很快,但是由于常常迷路,所以跨越公路需要很长时间。（　　）

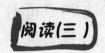

藏羚羊有明显季节性迁徙特征

新华网(记者　朱建军)可可西里索南达杰自然保护站的志愿者和研究人员通过两年调查,从藏羚羊的年分布图分析发现,藏羚羊具有明显的季节性迁徙特征,其迁徙活动一般出现在产羔时期。

索南达杰自然保护站位于可可西里东侧的青藏公路旁边,背靠昆仑山脉,海拔4480米。从2001年元月起的两年间,这个保护站的志愿者和部分科研调查人员,以青藏公路昆仑山口至五道梁路段为调查路线,以肉眼观察的视线范围为调查区域,记录在路线上所观察到的野生动物数量。在藏羚羊迁徙季节,科研人员还观察记录藏羚羊在主要迁徙通道的活动情况。

保护站负责人杨欣说,通过两年的观察,调查研究人员对昆仑山口到五道梁段青藏公路两侧的野生动物分布特性有了基本的认识,特别对藏羚羊主要栖息地和迁徙特征有了深入了解。杨欣说,通过调查发现,每年6至9月份是藏羚羊在青藏公路沿线活动的高峰期,这正和藏羚羊的迁徙期相吻合。其中8月份数量最多,这是母羚羊产羔后带领小羚羊的回迁高峰期,相对母羚羊产羔前的迁徙数量来说是增多的。

藏羚羊在青藏高原的地理分布东达鄂陵湖,西达印度的阿鲁错湖,约有1600公里的距离。季节性迁徙是藏羚羊的一个重要的生态特征,对其整个生活区域的生态系统很重要。杨欣说,藏羚羊迁徙有其生物学上的意义,通过迁徙种群内和种群间的个体得以交换,可以防止长期近亲繁殖而产生的不良后果;还可以使藏羚羊种群适应不同的气候条件,扩大种群的分布区,保持藏羚羊种群的稳定性。(2003-08-07)

生　词

1. 产羔　　　chǎn gāo　　　　　　　　　give birth to
2. 栖息地　　qīxīdì　　　　（名）　　　habitat
3. 吻合　　　wěnhé　　　　（动）　　　be identical to, fit in to
4. 回迁　　　huíqiān　　　（动）　　　go back to, went back
5. 种群　　　zhǒngqún　　（名）　　　plant or animal community
6. 近亲　　　jìnqīn　　　（名）　　　close relative
7. 繁殖　　　fánzhí　　　（动）　　　reproduce, breed

简要回答：

1. 藏羚羊的迁徙活动是有规律的吗？
2. 藏羚羊迁徙的主要目的是什么？
3. 藏羚羊的迁徙有哪些重要意义？

第15课

当代大学生婚恋观逐渐成熟

在校大学生登记结婚,成了近一段时间高校的热门话题。重庆市有关部门连日来对在渝的西南师范大学、重庆大学、重庆师范大学、重庆工商大学等高校大学生调查中发现,尽管对在校大学生结婚表示理解,但八成大学生自己表示不会在校结婚。

此间一些教育学专家指出,这说明大学生的婚恋观逐渐成熟。

在被调查的100名大学生中,70%的大学生谈过恋爱。但问到"是否会在读书时结婚"时,18%的人选择"会",82%的人表示"坚决不会"。在选择"会结婚"的18人中只有一位是女生。

在谈到"会结婚"的理由时,16人认为"感情成熟",2人"想过夫妻生活"。

不会选择结婚的大学生中,有38%的人理由是"无经济基础",认为"年龄小"的占25%,另外还有19%的人认为"将来变化大",4%的人认为"没有能力为对方负责任"。

在"你认为婚姻必须具备的条件中",有21%的大学生认为"经济基础",而感情和事业各占6%,要求经济、感情、事业都具备的占66%。

虽然自己不会选择结婚,但对于别人的结婚行为,48%的大学生表示"理解",16%的人表示"支持",28%的人表示"无所谓",只有8%的人"无法接受或不赞成"。

专家们称,这说明大学生在婚恋标准方面态度比较宽容。2001年,重庆市曾经对6所高校780名大学生做过"大学生婚恋价值观"的调查,发现男生比女生更宽容,原因据说是男生在婚恋上"社会损失"比较小。

另外,"如何看待校规与法规目前存在的冲突"问题上,40%的学生

"对校规表示理解",31%的人"支持校规",24%的认为"校规没有道理"。

对此,西南师大学生处的老师认为,新《结婚登记条例》及"高考报名考生不再有年龄和婚否的限制",使学生管理工作面临新的课题。

据说,"在校大学生不准结婚"写进高校校规是有根据的。1990年,教育部颁布的《普通高等学校学生管理规定》中明确限制在校学生结婚。

管理部门表示,这个规定完全是为了学生。大学生本身不成熟,由婚姻带来的问题是一系列的,会给学生自身以及学校的管理带来重大影响。

面对结婚,大学生其实考虑得更多。一位大学生客观地说,即使校规允许结婚,绝大多数学生也不会结婚。但问题的关键是,"用不用这种权利是一回事,有没有这种权利是另一回事"。(http://www.sina.com.cn 2003年11月04日09:33 **工人日报**天讯在线)

生　词

1. 婚恋观	hūnliànguān	(名)	views on marriage
2. 具备	jùbèi	(动)	have, possess
3. 宽容	kuānróng	(形)	easy, good-tempered, tolerant
4. 校规	xiàoguī	(名)	school rules
5. 法规	fǎguī	(名)	rule of law
6. 客观	kèguān	(形)	objective, objectivity

专有名词

1. 重庆	Chóngqìng	Chongqing
2. 渝	Yú	abbreviation for Chongqing
3. 教育部	Jiàoyùbù	Ministry of Education

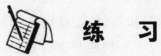 **练　习**

一、根据课文划线连接具有相同特点的词语

登记结婚　　　　　　　　法规

经济基础　　　　　　　　宽容

理解　　　　　　　　　　感情和事业

校规　　　　　　　　　　谈恋爱

二、划线搭配动词和名词(宾语)

表示　　　　　　　　　　结婚

看待　　　　　　　　　　课题

面临　　　　　　　　　　冲突

允许　　　　　　　　　　理解

三、指出划线动词的宾语中心词

1. 在校大学生<u>登记</u>结婚,成了近一段时间高校的热门话题。(　　)

2. 在<u>谈</u>到"会结婚"的理由时,16人认为"感情成熟"。(　　)

3. 这<u>说明</u>大学生在婚恋标准方面态度比较宽容。(　　)

4. 由婚姻<u>带</u>来的问题是一系列的,会给学生自身以及学校的管理带来重大影响。(　　)

四、判断正误

1. 近一段时间,高校的一个热门话题是在校大学生登记结婚。(　　)

2. 在被调查的100名大学生中,70%的人谈过恋爱,82%的人表示不会在上学的时候结婚。(　　)

3. 在被调查的100名大学生中,有16%是因为"想过夫妻生活"而选择可能在上学的时候结婚。(　　)

4. 在不会选择结婚的大学生中,认为"双方感情还不稳定,将来可能有变化"的人比例最高。(　　)

5. 西南师大学生处的老师认为,新《结婚登记条例》及"高考报名考生不再有年龄和婚否的限制",是学生管理工作面临的新课题。(　　)

6. 课文中提到的"校规与法规目前存在的冲突"是指1990年教育部颁布的《普通高等学校学生管理规定》和新《结婚登记条例》的矛盾。(　　　)

7. 从课文最后一段来看,学生欢迎和支持新《结婚登记条例》给大学生活带来的变化。(　　　)

年前离婚　年后办手续
节后头一天北京离婚骤增

晨报讯(记者　颜斐)昨天是法院上班的第一天,朝阳法院受理了25起离婚案,接待离婚咨询高达60多人次。崇文法院昨天立案18件,其中离婚诉讼占到了近70%。

法院的曹庭长认为,离婚毕竟不是一件令人高兴的事,所以节前有离婚念头的人大都放在年后办,因此,春节之后离婚率往往会骤增。(http://news.tom.com 2003年02月09日05时37分　来源:北京晨报)

婚恋观渐趋多元化

据新华社南京8月23日专电(记者**姚玉洁　王力**)我国现代女性的婚恋观正趋向多元化。

按自己的意愿生活

27岁的小肖并不急于走进婚姻。她不喜欢按部就班的生活,没有固定工作,眼下她正靠担任钢琴家教谋生。她很喜欢旅游,经常一个人背起包去游山玩水。她说:"单身可以让我更好地享受生活!"

"丁克一族"越来越多

在现代都市,"丁克"这个外来语已经越来越被普通人所接受。在古城南京,"丁克夫妇"的比例已经达到10%。小顾是一家美容店的老板,由于工作繁忙,她和先生都不打算要孩子。"我们的事业都处于初始阶段,根本无暇分心。最难得的是,我们双方父母都尊重我们的选择! 小顾对此充满感激。

为了孩子放弃了工作

与为事业放弃要孩子的"丁克一族"相反,许多女性为了抚育孩子而选择暂时放弃工作,体会做母亲的幸福。三十出头的雷女士,承认中途"回家"对事业有负面影响:"看到一些在大学时代不如我的女同学,现在都已经做到单位的领导了,有时候心里也有点不平衡。但看到孩子在自己身边健康、活泼地成长,我所能体会到的成就感也大于其他任何事情。"(http://www.sina.com.cn 2003 年 08 月 24 日 06:23 安徽在线—安徽日报)

生　词

1. 多元化	duōyuánhuà	(名)	variety
2. 按部就班	àn bù jiù bān		follow the prescribed order
3. 钢琴	gāngqín	(名)	piano
4. 家教	jiājiào	(名)	home-schooling, teaching at home
5. 丁克	dīngkè		DINK (Double Income No Kids)
6. 无暇	wúxiá	(动)	have no time
7. 抚育	fǔyù	(动)	upbringing
8. 体会	tǐhuì	(动)	taste, experience, realize
9. 中途	zhōngtú	(名)	midway

选择正确答案

1. 下面哪一句话最适合代表27岁的小肖的生活态度？

  1）我不喜欢按部就班的生活

  2）我可以靠担任钢琴家教谋生

  3）我经常一个人背起包去游山玩水

  4）单身可以让我更好地享受生活 （   ）

2. 在介绍小顾他们这样的"丁克夫妇"的时候，作者没有谈到的一个方面是什么？

  1）小顾还很年轻，现在不考虑要孩子也没有关系

  2）小顾夫妇的事业刚刚开始，十分繁忙

  3) 小顾的丈夫同意小顾不要孩子的想法

  4）小顾夫妇的父母可能不喜欢他们的做法，但是也没有反对 （   ）

3. 为了孩子而放弃工作的雷女士，现在的感受是：

  1）对事业有负面影响

  2）心里有点不平衡

  3）孩子健康、活泼地成长就是最大的成就

  4）没有办法说清楚 （   ）

4. 从课文来看，作者支持的是哪种选择？

  1）小肖的生活态度

  2）小顾他们这样的"丁克夫妇"

  3）为了孩子而放弃工作的雷女士

  4）多元化的婚恋观 （   ）

中国的相亲服务

    最近几年，中国的一些大城市出现了"婚友社"之类的机构和网站，为青年男女安排5分钟、10分钟的短时间约会。他们声称，每天安排50对

男女相亲是平常事。不过据说这样的"相亲工厂"的成功率只有1%。在上海,《申江服务导报》曾举办过一次有500人参加的大型集体约会;厦门每个周末都有这样的集体约会。

由介绍、相亲开始的婚姻其实一向是中国婚姻的主流。哈尔滨市在1999年的婚姻调查显示,通过相亲结合的夫妇为74%。中国这一代30岁上下的青年,虽然听着港台甚至外国的流行歌曲,浏览国内外的网站,但在婚姻上似乎并未摆脱前辈的"无奈的选择"。

据中国社会学专家统计,现在中国大、中城市普遍有迟婚现象,大中城市人口的初婚年龄估计是28岁至29岁,比50年代初期推迟了八九年。

处于社会高速转型期的中国,人们忙于学习、工作,人与人之间沟通的机会比以前更少。

在此心态下,都市青年寻找伴侣,也像网络交友一般,以点击数量的多少来衡量效率。相亲工厂和婚友社网站自然而然地成为一种热门的服务类型。(**郑方生　2004-07-12**)

生　词

1. 相亲	xiāngqīn	(动)	arranged marriage
2. 主流	zhǔliú	(名)	mainstream
3. 转型	zhuǎn xíng		transform, transformation
4. 伴侣	bànlǚ	(名)	partner
5. 点击	diǎnjī	(动)	click

判断正误

1. "婚友社"之类的机构和网站安排的短时间约会,速度很快,但是成功率很低。(　　　)

2. 这种安排短时间约会的服务,只是在上海地区比较流行。(　　　)

3. 课文认为,大部分中国青年是经过别人介绍认识以后结婚的。(　　　)

4. 中国处于社会高速转型的时期,人们非常繁忙,人与人之间的交流比以前更少。(　　　)

5. 从最后一段课文来看,作者认为短时间约会服务效率很高,是理想的相亲方式。(　　　)

离婚市场催生离婚公司

今年3月8日,上海一家婚姻问题咨询公司开业,随即成为社会的热点话题,媒体将它称之为"离婚公司"。开业两个月,全国各地就有1000余人前去咨询。不过,与"婚姻咨询公司"的委婉称法相比,"上海离婚网"来得更直接。

在北京,目前尚没有正式的"离婚公司"出现,但各种各样的咨询公司的服务项目里,有一部分却包括"婚姻咨询"。

迅速上升的离婚率使离婚成为一种新的产业。时代的进步使人们对离婚也多了一些理解和宽容。随着新《婚姻法》和《婚姻登记条例》的相继颁布实施,越来越简单的手续使结婚和离婚都变得轻松起来。离婚率的纪录一再被刷新,我国离婚率已达到20%左右。而1995年,离婚率是1.8%,不到10年的时间,离婚率增加了10倍,可谓高速攀升。

目前,中国每年有100多万对夫妇离异,面对离婚带来的心理阴影、财产分割、子女抚养等各种问题,婚姻咨询师的专业服务显得很有必要,离婚公司应运而生。(http://www.sina.com.cn 2004年08月09日23:48 华夏时报)

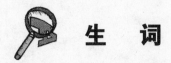

生 词

1. 催生	cuīshēng	(动)	midwifery
2. 委婉	wěiwǎn	(形)	circumbendibus
3. 条例	tiáolì	(名)	rules, regulations
4. 手续	shǒuxù	(名)	procedure, operation
5. 刷新	shuāxīn	(动)	break
6. 攀升	pānshēng	(动)	raise, climb up
7. 阴影	yīnyǐng	(名)	shadow
8. 分割	fēngē	(动)	divide up, division
9. 应运而生	yìng yùn ér shēng		emerge because of favorable circumstances

简要回答：

1. 今年3月8日，上海一家婚姻问题咨询公司开业，它们为什么不叫"离婚公司"？

2. 课文中所讲到的离婚率上升的原因有哪些？

3. 离婚可能带来哪些问题？

词 汇 表

A

B

彼此	bǐcǐ	2
闭幕	bìmù	4
避孕	bì yùn	8
边境	biānjìng	6
变更	biàngēng	12
遍布	biànbù	1
标志	biāozhì	3
标致雪铁龙	Biāozhì Xuětiělóng	5
表情	biǎoqíng	10
冰毒	bīngdú	6
冰山	bīngshān	10
并肩	bìngjiān	2
柏林	Bólín	4
铂金	bójīn	9
补发	bǔfā	12
不解之缘	bù jiě zhī yuán	7
布鲁塞尔	Bùlǔsài'ěr	2
步入	bùrù	11

C

裁判	cáipàn	10
采访	cǎifǎng	7
采取	cǎiqǔ	5
测试	cèshì	1
查缉	chájī	6
产妇	chǎnfù	8
产羔	chǎn gāo	14
产业	chǎnyè	12
猖獗	chāngjué	6
长三角	Chángsānjiǎo	5
长沙市	Chángshā Shì	11
长足	chángzú	2
陈述	chénshù	7
撑杆跳高	chēnggān tiàogāo	7

成本	chéngběn	13
成交	chéngjiāo	4
成交额	chéngjiāo é	4
成效	chéngxiào	5
成员	chéngyuán	6
承诺	chéngnuò	2
城乡	chéng-xiāng	11
程序	chéngxù	13
持续	chíxù	5
冲刺	chōngcì	13
重庆	Chóngqìng	15
重围	chóngwéi	13
初婚	chūhūn	8
初育	chūyù	8
出局	chū jú	7
出征	chūzhēng	10
磁带	cídài	1
刺激	cìjī	5
从而	cóng'ér	2
从业	cóngyè	8
促进	cùjìn	1
催生	cuīshēng	15
摧毁	cuīhuǐ	6
存续	cúnxù	12
措施	cuòshī	5

D

大阪	Dàbǎn	7
大豆	dàdòu	4
大度	dàdù	10
大众	Dàzhòng	5
大专	dàzhuān	1
代号	dàihào	6
待命	dàimìng	7

E

F

发达国家	fādá guójiā	3
发动机	fādòngjī	3
发放	fāfàng	10
发愤图强	fāfèn túqiáng	7
发展中国家	fāzhǎn zhōng guójiā	7
法规	fǎguī	15
法新社	Fǎxīnshè	10
翻一番	fān yì fān	2
繁殖	fánzhí	14
返销	fǎnxiāo	3
犯罪嫌疑人	fànzuì xiányírén	6
贩毒	fàndú	6
方便面	fāngbiànmiàn	9
房地产	fáng-dìchǎn	5
飞利浦公司	Fēilìpǔ Gōngsī	11
翡翠	fěicuì	9
废钢	fèigāng	5
沸腾	fèiténg	7
分割	fēngē	15
分娩	fēnmiǎn	8
分析师	fēnxīshī	5
纷纷	fēnfēn	3
份额	fèn'é	9
丰田	Fēngtián	5
缝合	fénghé	11
奉献	fèngxiàn	7
扶持	fúchí	8
扶贫	fúpín	12
幅度	fúdù	5
抚育	fǔyù	15
辅助	fǔzhù	13
付清	fùqīng	11

负责人	fùzérén	9
妇幼	fù-yòu	8
复吸率	fùxīlǜ	6

G

该	gāi	1
改革开放	gǎigé kāifàng	4
感触	gǎnchù	7
感染	gǎnrǎn	8
钢材	gāngcái	5
钢琴	gāngqín	15
港口	gǎngkǒu	5
高潮	gāocháo	10
高等教育	gāoděng jiàoyù	11
高技术	gāojìshù	2
革命	gémìng	13
个别	gèbié	13
根本	gēnběn	13
工会	gōnghuì	11
工商界	gōng-shāngjiè	4
工种	gōngzhǒng	11
公益	gōngyì	14
估算	gūsuàn	13
孤身	gūshēng	14
谷底	gǔdǐ	10
骨干	gǔgàn	6
鼓舞	gǔwǔ	14
固定电话	gùdìng diànhuà	9
雇主	gùzhǔ	11
关税	guānshuì	4
关注	guānzhù	2
广泛	guǎngfàn	2
规范	guīfàn	12
规划	guīhuà	3

规模化	guīmóhuà	6
国家计生委	Guójiā Jìshēngwěi	8
国务院	Guówùyuàn	4
果断	guǒduàn	5
过载	guòzài	13

H

海拔	hǎibá	14
海关	hǎiguān	4
海洛因	hǎiluòyīn	6
海南	Hǎinán	11
航天	hángtiān	2
合同	hétóng	13
核心	héxīn	13
黑客	hēikè	13
横扫	héngsǎo	10
红蓝宝石	hóng-lán bǎoshí	9
宏观调控	hóngguān tiáokòng	5
后裔	hòuyì	12
呼啸	hūxiào	14
户籍	hùjí	12
户口	hùkǒu	11
互联网	hùliánwǎng	9
护照	hùzhào	12
华侨	huáqiáo	12
华文	Huáwén	1
化学品	huàxuépǐn	6
欢腾	huānténg	7
缓慢	huǎnmàn	3
换发	huànfā	12
荒山	huāngshān	14
黄种人	huángzhǒngrén	13
挥舞	huīwǔ	10
恢复	huīfù	3

辉煌	huīhuáng	10
回落	huíluò	5
回迁	huíqiān	14
回应	huíyìng	4
汇款	huìkuǎn	11
婚恋观	hūnliànguān	15
魂不守舍	hún bù shǒu shè	9
活跃	huóyuè	5
火山	huǒshān	5
获益	huòyì	9
获准	huòzhǔn	12

J

机车	jīchē	3
机电	jīdiàn	4
机关	jīguān	12
机械	jīxiè	5
基础	jīchǔ	1
基金	jījīn	7
吉隆坡	Jílóngpō	1
给予	jǐyǔ	7
计划生育	jìhuà shēngyù	8
记录	jìlù	3
纪念	jìniàn	7
技工	jìgōng	11
加速	jiāsù	5
家教	jiājiào	15
家乐福	Jiālèfú	7
坚实	jiānshí	2
肩膀	jiānbǎng	9
监测	jiāncè	14
检测	jiǎncè	3
建材	jiàncái	4
建交	jiànjiāo	1

奖金	jiǎngjīn	10
奖励	jiǎnglì	10
交接	jiāojiē	13
交流	jiāoliú	1
交往	jiāowǎng	11
交椅	jiāoyǐ	10
交易	jiāoyì	4
焦炭	jiāotàn	5
焦躁	jiāozào	9
缴付	jiǎofù	12
缴获	jiǎohuò	6
教育部	Jiàoyùbù	15
节育	jiéyù	8
截至	jiézhì	6
仅	jǐn	1
谨慎	jǐnshèn	10
进军	jìnjūn	3
进展	jìnzhǎn	7
近亲	jìnqīn	14
禁毒	jìndú	6
经合组织	Jīnghé Zǔzhī	3
经贸	jīngmào	4
敬佩	jìngpèi	14
就业	jiùyè	8
居高不下	jū gāo bú xià	6
居留	jūliú	12
鞠躬	jū gōng	10
局点	júdiǎn	10
具备	jùbèi	15
具体	jùtǐ	12
角色	juésè	1
角逐	juézhú	10
绝育	jué yù	8
崛起	juéqǐ	1

K

L

利润	lìrùn	6
连续	liánxù	1
联手	liánshǒu	6
廉价	liánjià	11
零部件	língbùjiàn	13
领事司	lǐngshìsī	12
领域	lǐngyù	1
流动	liúdòng	6
陆续	lùxù	3
绿卡	lǜkǎ	12
落户	luòhù	4
落实	luòshí	4

M

麻黄素	máhuángsù	6
麻醉	mázuì	6
马拉松	Mǎlāsōng	10
马来西亚	Mǎláixīyà	1
忙活	mánghuo	7
媒体	méitǐ	2
门槛	ménkǎn	12
孟加拉国	Mèngjiālāguó	8
密切	mìqiè	6
缅甸	Miǎndiàn	6
民工	míngōng	11
铭记	míngjì	13
模型	móxíng	13
牟取	móuqǔ	6
母校	mǔxiào	14
母语	mǔyǔ	1
目录	mùlù	12
穆斯林	mùsīlín	9

N

纳税	nàshuì	12
内地	nèidì	11
能源	néngyuán	4
尼日利亚	Nírìlìyà	8
拟	nǐ	9
逆差	nìchā	4
年度	niándù	1
女单	nǚdān	10

O

欧盟	Ōuméng	2

P

攀升	pānshēng	15
庞大	pángdà	9
陪同	péitóng	2
培训	péixùn	11
配偶	pèi'ǒu	12
喷发	pēnfā	5
蓬勃	péngbó	2
膨胀	péngzhàng	8
皮革	pígé	3
频繁	pínfán	2
品牌	pǐnpái	3
平台	píngtái	14
评估	pínggū	7
浦东	Pǔdōng	12
普及	pǔjí	9

Q

栖息地	qīxīdì	14
期满	qīmǎn	12
起步	qǐbù	13
起飞	qǐfēi	13
迄今	qìjīn	6
迁居	qiānjū	11
迁徙	qiānxǐ	14
签订	qiāndìng	13
签署	qiānshǔ	12
签证	qiānzhèng	12
前南斯拉大	Qiánnánsīlāfū	1
前所未有	qián suǒ wèi yǒu	5
强劲	qiángjìng	4
抢购	qiǎnggòu	7
亲临	qīnlín	7
亲戚	qīnqì	8
青藏	Qīng-Zàng	3
清真	qīngzhēn	9
趋势	qūshì	3
趋于	qūyú	8
全民	quānmín	6
全球化	quánqiúhuà	6
确保	quèbǎo	10
雀跃	quèyuè	14
群体	qúntǐ	11

R

人迹罕至	rén jì hǎn zhì	6
热衷	rèzhōng	1
日渐	rìjiàn	6
荣誉市民	róngyù shìmín	12

容身	róng shēn	8
融化	rónghuà	10
融入	róngrù	11
瑞典	Ruìdiǎn	3

S

塞尔维亚	Sài'ěrwéiyà	1
丧失	sàngshī	12
色调	sèdiào	7
森林	sēnlín	6
商机	shāngjī	4
商务部	Shāngwùbù	2
上海市公安局出入境管理局	Shànghǎi Shì Gong'ānjú Chūrùjìng Guǎnlǐjú	12
上涨	shàngzhǎng	5
尚	shàng	3
稍微	shāowēi	13
社会主义市场经济	shèhuì zhǔyì shìchǎng jīngjì	4
设施	shèshī	3
社区	shèqū	6
涉及	shèjí	6
射线	shèxiàn	14
申奥	shēn Ào	7
申请	shēnqǐng	1
审核	shěnhé	12
审批	shěnpī	12
审理	shěnlǐ	6
渗透	shèntòu	6
升温	shēngwēn	1
生产线	shēngchǎnxiàn	7
生计	shēngjì	8
生铁	shēngtiě	5
生殖	shēngzhí	8
声明	shēngmíng	2

失利	shīlì	10
失业	shīyè	11
失业率	shīyèlǜ	11
施罗德	Shīluódé	2
实惠	shíhuì	4
实践	shíjiàn	12
食指	shízhǐ	10
事故	shìgù	11
试图	shìtú	11
试点	shìdiǎn	8
视察	shìchá	6
收网	shōu wǎng	6
手机短信	shǒujī duǎnxìn	9
手势	shǒushì	10
手腕	shǒuwàn	9
手续	shǒu xù	15
首度	shǒudù	9
首席执行官	Shǒuxí Zhíxíngguān	12
首相	shǒuxiàng	2
受理	shòulǐ	12
受益	shòu yì	1
刷新	shuāxīn	15
水稻	shuǐdào	11
水域	shuǐyù	14
顺义区	Shùnyì Qū	3
苏联	Sūlián	10
损坏	sǔnhuài	12

T

太空	tàikōng	1
态势	tàishì	5
泰缅	Tài-Miǎn	6
逃避	táobì	6
淘汰	táotài	7

讨价还价	tǎo jià huán jià	11
特征	tèzhēng	13
体操	tǐcāo	10
体会	tǐhuì	15
体制	tǐzhì	4
甜头	tiántou	8
条例	tiáolì	15
铁矿石	tiěkuàngshí	5
通用汽车	Tōngyòng Qìchē	5
同行	tóngháng	1
铜	tóng	13
投产	tóuchǎn	3
投身	tóushēng	14
投资	tóuzī	3
透露	tòulù	12
拖拉机	tuōlājī	11
拖欠	tuōqiàn	11
脱贫致富	tuōpín zhìfù	8
拓宽	tuòkuān	2

W

外商	wàishāng	4
完善	wánshàn	3
网络	wǎngluò	8
网友	wǎngyǒu	13
旺盛	wàngshèng	5
危旧房	wēi-jiùfáng	7
危难	wēinàn	10
威胁	wēixié	10
维护	wéihù	11
委婉	wěiwǎn	15
卫士	wèishì	14
卫星电话	wèixīng diànhuà	14
文盲	wénmáng	8

吻合	wěnhé	14
沃尔玛	Wò'ěrmǎ	13
沃尔沃	Wò'ěrwò	3
无比	wúbǐ	7
无所谓	wúsuǒwèi	11
无暇	wú xiá	15
无需	wúxū	12
无忧无虑	wú yōu wú lǜ	11
五花八门	wǔ huā bā mén	13
务工	wùgōng	11
物美价廉	wù měi jià lián	4
WWF		14

X

昔日	xīrì	10
悉尼	Xīní	10
喜庆	xǐqìng	7
下跌	xiàdiē	5
下岗	xiàgǎng	11
下游	xiàyóu	5
闲散	xiánsǎn	6
现场	xiànchǎng	6
现代汽车	Xiàndài Qìchē	3
限量	xiànliàng	7
献身	xiànshēng	14
相亲	xiāngqīn	15
相拥而泣	xiāng yōng ér qì	7
相遇	xiāngyù	13
湘	Xiāng	11
湘潭	Xiāngtán	11
消费	xiāofèi	6
销售	xiāoshòu	3
小区	xiǎoqū	7
校规	xiàoguī	15

邀请	yāoqǐng	2
摇头丸	yáotóuwán	6
冶金	yějīn	5
业务	yèwù	3
业余爱好者	yèyú àihàozhě	13
一汽	Yīqì	5
一分子	yí fènzǐ	11
伊拉克	Yīlākè	8
伊斯坦布尔	Yīsītǎnbù'ěr	7
依赖	yīlài	9
仪器	yíqì	3
移民	yímín	12
遗失	yíshī	12
义务	yìwù	14
因特网	Yīntèwǎng	13
阴影	yīnyǐng	15
英雄辈出	yīngxióng bèichū	13
罂粟	yīngsù	6
迎战	yíngzhàn	9
盈余	yíngyú	7
赢利	yínglì	5
应运而生	yìng yùn ér shēng	15
悠久	yōujiǔ	3
有望	yǒuwàng	2
渝	Yú	15
宇航员	yǔhángyuán	1
与会	yùhuì	3
育龄	yùlíng	8
预言	yùyán	10
源	yuán	14
原材料	yuáncáiliào	4
原料	yuánliào	5
远洋	yuǎnyáng	5
月薪	yuèxīn	11
孕妇	yùnfù	8

Z

种群	zhǒngqún	14
中毒	zhòngdú	9
众多	zhòngduō	2
周边	zhōubiān	5
珠宝首饰	zhūbǎo shǒushì	9
逐年	zhúnián	1
主办	zhǔbàn	7
主编	zhǔbiān	13
主攻手	zhǔgōngshǒu	10
主流	zhǔliú	15
注册	zhùcè	12
驻守	zhùshǒu	14
抓获	zhuāhuò	6
专题	zhuāntí	14
专职	zhuānzhí	14
转达	zhuǎndá	2
转型	zhuǎnxíng	15
装扮	zhuāngbàn	14
装卸	zhuāngxiè	5
着重	zhuózhòng	6
咨询	zīxún	8
资本金	zīběnjīn	12
自觉性	zìjuéxìng	8
总部	zǒngbù	2
走俏	zǒuqiào	7
足额	zú'é	10
遵守	zūnshǒu	12
座椅	zuòyǐ	13

参 考 答 案

第一课

一、根据课文划线连接具有相同特点的词语

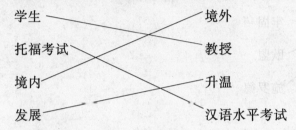

学生   境外
托福考试   教授
境内   升温
发展   汉语水平考试

二、划线搭配动词和名词(宾语)

参加   职位
测试   中国
申请   考试
来到   水平

三、连句

 1. CAB 2. ACB 3. BAC

四、判断正误

 1. 错误 2. 正确 3. 错误 4. 正确

阅读一

选择正确答案

 1.(1) 2.(4) 3.(3) 4.(2)

阅读二

判断正误

 1. 正确 2. 错误 3. 错误 4. 错误

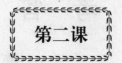

第二课

一、根据课文划线连接具有相同特点的词语

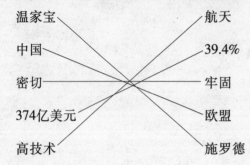

温家宝   航天

中国   39.4%

密切   牢固

374亿美元   欧盟

高技术   施罗德

二、划线搭配动词和名词(宾语)

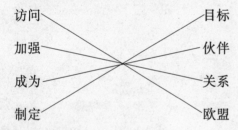

访问   目标

加强   伙伴

成为   关系

制定   欧盟

三、指出划线动词的宾语中心词

1. 访问　2. 关系　3. 往来、议题　4. 声明

四、判断正误

1. 正确　2. 错误　3. 错误　4. 错误　5. 正确

阅读一

选择正确答案

1. (2)　2. (1)　3. (4)　4. (3)

阅读二

判断正误

1. 正确　2. 错误　3. 错误　4. 错误

第三课

一、根据课文划线连接具有相同特点的词语

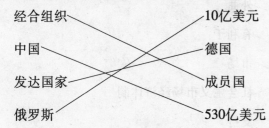

经合组织　　　　10亿美元

中国　　　　　　德国

发达国家　　　　成员国

俄罗斯　　　　　530亿美元

二、划线搭配动词和名词(宾语)

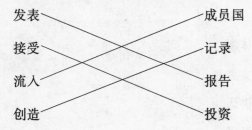

发表　　　　　　成员国

接受　　　　　　记录

流入　　　　　　报告

创造　　　　　　投资

三、选择正确答案

1.(2)　2.(3)　3.(4)　4.(1)

阅读一

判断正误

1.错误　2.错误　3.正确

阅读二

选择正确答案

1.(2)　2.(3)　3.(1)

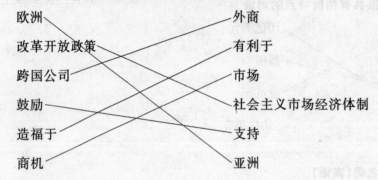

第四课

一、根据课文划线连接具有相同特点的词语

欧洲　　　　　　　　　　外商
改革开放政策　　　　　　有利于
跨国公司　　　　　　　　市场
鼓励　　　　　　　　　　社会主义市场经济体制
造福于　　　　　　　　　支持
商机　　　　　　　　　　亚洲

二、划线搭配动词和名词(宾语)

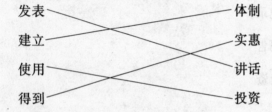

发表　　　　　　　　　　体制
建立　　　　　　　　　　实惠
使用　　　　　　　　　　讲话
得到　　　　　　　　　　投资

三、比较A、B两句的意思是否相同：

1. 不同　2. 不同　3. 相同　4. 不同

四、指出划线动词的宾语中心词

1. 活动　2. 局面　3. 政策　4. 情况

五、选择正确答案

1. (1)　2. (3)　3. (3)　4. (3)

阅读一

判断正误

1. 错误　2. 正确　3. 错误　4. 正确　5. 错误

阅读二

选择正确答案

1. (4)　2. (4)　3. (1)

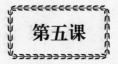

第五课

一、根据课文划线连接具有相同特点的词语

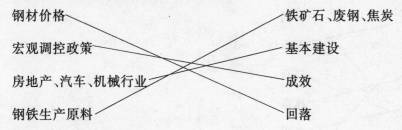

钢材价格 —————— 铁矿石、废钢、焦炭

宏观调控政策 —————— 基本建设

房地产、汽车、机械行业 —————— 成效

钢铁生产原料 —————— 回落

二、划线搭配动词和名词（宾语）

呈现 —————— 态势

造成 —————— 影响

完成 —————— 投资

采取 —————— 措施

限制 —————— 发展

三、连句

1. ACB　2. CBA　3. BAC　4. CBA

四、选择正确答案

1.（1）　2.（3）　3.（4）　4.（2）

阅读一

判断正误

1. 错误　2. 正确　3. 正确　4. 错误

阅读二

选择正确答案

1.（1）　2.（4）　3.（2）

第六课

一、根据课文划线连接具有相同特点的词语

贩毒	时间
国际合作	毒贩
海洛因	抓获
美元	冰毒
破获	港币
地域	联合行动

二、划线搭配动词和名词(宾语)

采取	中国
涉及	行动
抓获	麻黄素
缴获	犯罪嫌疑人

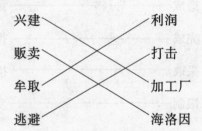

兴建	利润
贩卖	打击
牟取	加工厂
逃避	海洛因

三、指出划线词语的宾语中心词

1. 案例　2. 组织　3. 合作　4. 记录

四、选择正确答案

1. (3)　2. (2)　3. (4)　4. (1)

阅读一

选择正确答案

1. (2)　2. (3)　3. (1)　4. (4)

阅读二

判断正误

1. 错误　2. 正确　3. 错误　4. 正确

第七课

一、根据课文划线连接具有相同特点的词语

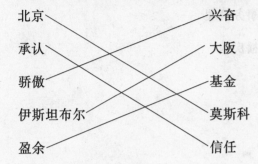

北京　　　　　　　兴奋
承认　　　　　　　大阪
骄傲　　　　　　　基金
伊斯坦布尔　　　　莫斯科
盈余　　　　　　　信任

二、划线搭配动词和名词(宾语)

获得　　　　喜悦
展开　　　　现场
分享　　　　活动
亲临　　　　主办权

给予　　　　承诺
参加　　　　发展
信守　　　　信任
促进　　　　晚会

三、指出划线动词的宾语中心词

1. 城市　2. 节目,欢呼声　3. 晚会　4. 时刻　5. 盈余,基金,事业

四、选择正确答案

1. (2)　2. (3)　3. (4)　4. (3)　5. (4)

阅读一

判断正误

1. 错误　2. 正确　3. 错误　4. 正确

阅读二

判断正误

1. 错误　2. 错误　3. 正确　4. 正确　5. 错误　6. 正确

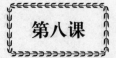

第八课

一、根据课文划线连接具有相同特点的词语

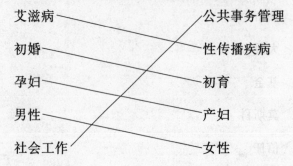

艾滋病 ——— 公共事务管理

初婚 ——— 性传播疾病

孕妇 ——— 初育

男性 ——— 产妇

社会工作 ——— 女性

二、连句

1. BAC　2. ACB　3. ACB　4. ACB

三、指出划线动词的宾语中心词

1. 资金　2. 试点　3. 防治,宣传教育　4. 责任

四、选择正确答案

1. (1)　2. (4)　3. (2)　4. (3)　5. (1)　6. (2)

阅读一

判断正误

1. 正确　2. 正确　3. 错误　4. 错误　5. 错误

阅读二

判断正误

1. 正确　2. 错误　3. 错误　4. 正确　5. 错误

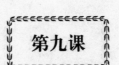

第九课

一、根据课文划线连接具有相同特点的词语

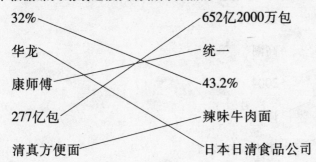

32%	652亿2000万包
华龙	统一
康师傅	43.2%
277亿包	辣味牛肉面
清真方便面	日本日清食品公司

二、划线搭配动词和名词（宾语）

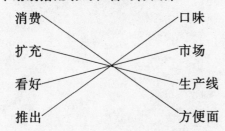

消费	口味
扩充	市场
看好	生产线
推出	方便面

三、指出划线动词的宾语中心词

1. 市场需求　2. 市场　3. 占有率　4. 方便面　5. 销量，市场，品牌

四、选择正确答案

1.（1）　2.（2）　3.（3）　4.（4）　5.（3）　6.（4）

阅读一
判断正误

1. 错误　2. 正确　3. 错误　4. 正确

阅读二
判断正误

1. 正确　2. 错误　3. 错误　4. 正确

第十课

一、根据课文划线连接具有相同特点的词语

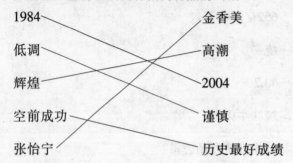

1984　　　　　　　　金香美

低调　　　　　　　　高潮

辉煌　　　　　　　　2004

空前成功　　　　　　谨慎

张怡宁　　　　　　　历史最好成绩

二、划线搭配动词和名词(宾语)

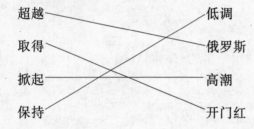

超越　　　　　　　　低调

取得　　　　　　　　俄罗斯

掀起　　　　　　　　高潮

保持　　　　　　　　开门红

三、连句

1. CAB　2. ACB　3. BAC　4. BAC

四、选择正确答案

1. (1)　2. (2)　3. (1)　4. (3)　5. (4)

阅读一
判断正误

1. 错误　2. 正确　3. 正确　4. 正确　5. 错误

阅读二
判断正误

1. 正确　2. 错误　3. 错误　4. 错误

第十一课

一、根据课文划线连接具有相同特点的词语

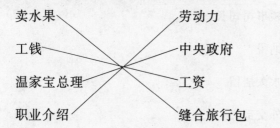

卖水果　　　　　劳动力

工钱　　　　　　中央政府

温家宝总理　　　工资

职业介绍　　　　缝合旅行包

二、划线搭配动词和名词(宾语)

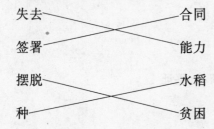

失去　　　　　　合同

签署　　　　　　能力

摆脱　　　　　　水稻

种　　　　　　　贫困

三、指出划线动词的宾语中心词

1. 分子　2. 活　3. 日子　4. 制度　5. 工作

四、选择正确答案

1. (3)　2. (4)　3. (1)　4. (4)　5. (1)　6. (2)

阅读一
判断正误

1. 正确　2. 错误　3. 正确　4. 错误

阅读二
选择正确答案

1. (1)　2. (4)　3. (4)　4. (2)

第十二课

一、根据课文划线连接具有相同特点的词语

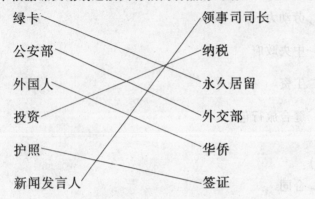

绿卡　　　　　　　　　领事司司长

公安部　　　　　　　　纳税

外国人　　　　　　　　永久居留

投资　　　　　　　　　外交部

护照　　　　　　　　　华侨

新闻发言人　　　　　　签证

二、指出划线动词的宾语中心词(宾语)

1. 条件　2. 地区　3. 人才,资金,技术　4. 居留权,签证

三、比较AB两句的意思是否相同

1. 相同　2. 相同　3. 不同　4. 不同

四、判断正误

1. 错误　2. 错误　3. 错误　4. 错误

阅读一

选择正确答案

1. (4)　2. (1)　3. (4)

阅读二

选择正确答案

1. (4)　2. (1)　3. (2)

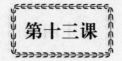

第十三课

一、根据课文划线连接具有相同特点的词语

eMachineShop.com   业余爱好者

设计   制造商

因特网革命   摩托车座椅

网站   订购

门上标志   沃尔玛

大型公司   工业革命

二、指出划线动词的宾语中心词

1. 零部件,门把手   2. 服务   3. 制作   4. 设计,部件

三、比较A、B两句的意思是否相同

1. 不同   2. 相同   3. 不同   4. 相同

四、选择正确答案

1.（1）   2.（4）   3.（4）   4.（2）   5.（3）

阅读一

判断正误

1. 错误   2. 错误   3. 正确   4. 错误   5. 正确

阅读二

判断正误

1. 正确   2. 错误   3. 正确   4. 错误

第十四课

一、根据课文划线连接具有相同特点的词语

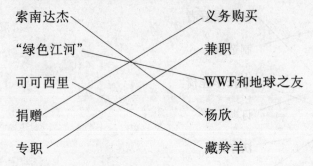

索南达杰   义务购买

"绿色江河"   兼职

可可西里   WWF和地球之友

捐赠   杨欣

专职   藏羚羊

二、划线搭配动词和名词(宾语)

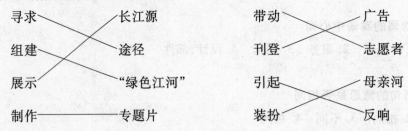

寻求   长江源   带动   广告

组建   途径   刊登   志愿者

展示   "绿色江河" 引起   母亲河

制作————专题片   装扮   反响

三、选择划线动词的宾语中心词

1. 探险家、摄影家、倡导者 2. 保护 3. 景观、民俗、状况 4. 报道

四、判断正误

1. 错误 2. 正确 3. 错误 4. 错误 5. 正确

阅读一

选择正确答案

1. (2) 2. (1) 3. (3) 4. (4)

阅读二

判断正误

1. 错误 2. 正确 3. 正确 4. 错误 5. 错误

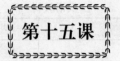

第十五课

一、根据课文划线连接具有相同特点的词语

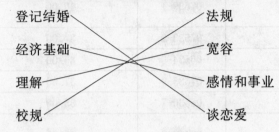

登记结婚　　　　　　　法规

经济基础　　　　　　　宽容

理解　　　　　　　　　感情和事业

校规　　　　　　　　　谈恋爱

二、划线搭配动词和名词（宾语）

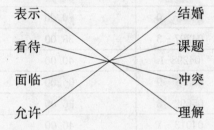

表示　　　　　　　　　结婚

看待　　　　　　　　　课题

面临　　　　　　　　　冲突

允许　　　　　　　　　理解

三、指出划线动词的宾语中心词

1. 话题　2. 理由　3. 态度　4. 问题, 影响

四、判断正误

1. 正确　2. 正确　3. 错误　4. 错误　5. 错误　6. 正确　7. 正确

阅 读 一

选择正确答案

1. (4)　2. (1)　3. (3)　4. (4)

阅 读 二

判断正误

1. 正确　2. 错误　3. 正确　4. 正确　5. 错误

北京大学出版社最新图书推荐（阴影为近年新书）

汉语教材		
博雅汉语—初级起步篇（Ⅰ）（附赠 3CD）	07529-4	65.00
博雅汉语—高级飞翔篇（Ⅰ）	07532-4	55.00
新概念汉语（初级本Ⅰ）（英文注释本）	06449-7	37.00
新概念汉语（初级本Ⅱ）（英文注释本）	06532-9	35.00
新概念汉语复练课本（初级本Ⅰ）（英文注释本）（内附 2CD）	07539-1	40.00
新概念汉语（初级本Ⅰ）（日韩文注释本）	07533-2	37.00
新概念汉语（初级本Ⅱ）（日韩文注释本）	06534-0	35.00
新概念汉语（初级本Ⅰ）（德文注释本）	07535-9	37.00
新概念汉语（初级本Ⅱ）（德文注释本）	06536-7	35.00
汉语易读（1）（附练习手册）（日文注释本）	07412-3	45.00
汉语易读（1）教师手册	07413-1	12.00
说字解词（初级汉语教材）	05637-0	70.00
中级汉语精读教程（1）	04297-3	38.00
中级汉语精读教程（2）	04298-1	40.00
初级汉语阅读教程（1）	06531-0	35.00
初级汉语阅读教程（2）	05692-3	36.00
中级汉语阅读教程（1）	04013-X	40.00
中级汉语阅读教程（2）	04014-8	40.00
汉语新视野-标语标牌阅读	07566-9	36.00
中国剪影—中级汉语教程	04102-0	28.00
新汉语教程（1-3）（初中高级）	04028-8/04029-6/04030-X	33.00/30.00/25.00
话说今日中国（高级精读）	04153-5	46.00
交际文化汉语（上）	03614-0	30.00
交际文化汉语（下）	03812-7	30.00
基础实用商务汉语（修订版）	04678-2	45.00
公司汉语	05734-2	35.00
国际商务汉语教程	04661-8	33.00
短期汉语及实用汉语教材		
速成汉语（1）（2）（3）（修订版）	06890-5/06891-3/06892-1	14.00/16.00/17.00
魔力汉语（上）（下）（英日韩文注释本）	05993-0/05994-9	33.00/33.00
汉语快易通 - 初级口语听力（英日韩文注释本）	05691-5	36.00
汉语快易通 - 中级口语听力（英日韩文注释本）	06001-7	36.00

快乐学汉语（韩文注释本）	05104 - 2	22.00
快乐学汉语（英日文注释本）	05400 - 9	23.00
口语听力教材		
汉语发音与纠音	01260 - 8	10.00
初级汉语口语（1）（2）（提高篇）	06628 - 7/06629 - 5/06630-9	60.00/60.00/60.00
中级汉语口语（1）（2）（提高篇）	06631 - 7/06632-5/06633-3	42.00/39.00/36.00
准高级汉语口语（上）	07698-3	42.00
高级汉语口语（1）（2）（提高篇）	06634 - 1/06635 - X/06646-5	32.00/32.00/32.00
初级汉语口语（上）（下）	03526 - 8/03701 - 5	40.00/50.00
中级汉语口语（上）（下）	03154 - 8/03217 - X	28.00/28.00
高级汉语口语（上）（下）	03519 - 5/03920 - 4	30.00/30.00
汉语初级听力教程（上）（下）	04253 - 1/04664 - 2	32.00/45.00
汉语中级听力教程（上）（下）	02128 - 3/02287 - 5	28.00/38.00
汉语中级听力（上）（修订版）（附赠 7CD）	07697-5	70.00
汉语高级听力教程	04092 - x	30.00
新汉语中级听力（上册）	06527-2	54.00
外国人实用生活汉语（上）（下）	05995-7/05996-5	43.00/45.00
易捷汉语—实用会话（配 4VCD）（英文注释本）	06636 - 8	书 28.00/书+4VCD120.00
中国传统文化与现代生活 - 留学生中级文化读本（I）（II）	06002 - 5	38.00
文化、报刊教材及读物		
中国概况（修订版）	02479 - 7	30.00
中国传统文化与现代生活 - 留学生中级文化读本（I）（II）	06002 - 5	38.00
中国传统文化与现代生活 - 留学生高级文化读本	04450 - X	34.00
文化中国 - 中国文化阅读教程 1	05810 - 1	38.00
解读中国 - 中国文化阅读教程 2	05811 - X	42.00

中国风俗概观	02317-0	16.80
中国古代文化故事 - 中国古代神话故事	04663 - 4	12.00
中国古代文化故事 - 中国古代名著故事	04663 - 4	12.00
中国古代文化故事 - 中国古代军事故事	04663 - 4	12.00
中国古代文化故事 - 中国古代童话故事	04663 - 4	12.00
中国古代文化故事 - 中国古代寓言故事	04663 - 4	12.00
中国古代文化故事 - 中国古代风俗故事	04663 - 4	12.00
中国古代文化故事 - 中国古代风俗故事	04971 - 4	12.00
中国古代文化故事 - 中国古代民间故事	05187 - 5	12.00
中国古代文化故事 - 中国古代成语故事	05188 - 3	12.00
中国古代文化故事 - 中国古代戏剧故事	05189 - 1	12.00
中国古代文化故事 - 中国古代名胜故事	05190 - 5	12.00
报纸上的中国—中文报刊阅读教程（上）	06893-X	50.00
报纸上的天下—中文报刊阅读教程（下）	06894 - 8	50.00
新编汉语报刊阅读教程（初级本）	04677 - 4	25.00
新编汉语报刊阅读教程（中级本）	04677 - 4	26.00
新编汉语报刊阅读教程（高级本）	04677 - 4	40.00
写作、语法、汉字、预科汉语教材		
应用汉语读写教程	05562 - 5	25.00
留学生汉语写作进阶	06447 - 0	31.00
实用汉语语法（修订本）附习题解答	05096 - 8	75.00
简明汉语语法学习手册	05749 - 0	22.00
常用汉字图解	03329-X	85.00
汉字津梁——基础汉字形音义说解（附练习册）	03854 - 2	40.00
汉字书写入门	03330 - 3	28.00
预科专业汉语教程（综合简本）	07586 - 3	55.00
HSK 应试辅导书教材及习题		
HSK 汉语水平考试模拟习题集（初、中等）	04518 - 2	40.00
HSK 汉语水平考试模拟习题集（高等）	04666 - 9	50.00
HSK 汉语水平考试词汇自测手册	05072 - 0	45.00
HSK 汉语水平考试（初、中等）全真模拟活页题集（模拟完整题）	05080 - 1	37.00
HSK 汉语水平考试（初、中等）全真模拟活页题集（听力理解）	05310 - X	34.00
HSK 汉语水平考试（初、中等）全真模拟活页题集（语法 综合填空 阅读理解）	05311 - 8	50.00